Le blogue de Namasté

>Le secret de Kim

LES ÉDITIONS LA SEMAINE
2050, rue de Bleury, bureau 500
Montréal (Québec) H3A 2J5

Vice-Président éditions secteur livres : Claude Rhéaume
Directrice des éditions : Annie Tonneau
Directrice artistique : Lyne Préfontaine
Coordonnatrice aux éditions : Françoise Bouchard

Directeur des opérations : Réal Paiement
Superviseure de la production : Lisette Brodeur
Assistante-contremaître : Joanie Pellerin
Scanneristes : Patrick Forgues et Éric Lépine

Conceptrice graphique et logo : Marianne Tremblay
Réviseures-correctrices : Rachel Fontaine, Marie Théorêt et Colombe Savard
Photo de Maxime Roussy : Patrice Bériault
Photos de la couverture : iStockphoto
Photos intérieures : Shutterstock

Gouvernement du Québec (Québec) – Programme de crédit d'impôt pour l'édition de livres – Gestion SODEC.

L'Éditeur bénéficie du soutien de la Société de développement des entreprises culturelles du Québec pour son programme d'édition.

© **Charron Éditeur inc.**
Dépôt légal : Quatrième trimestre 2009
Bibliothèque et Archives nationales du Québec
Bibliothèque et Archives Canada
ISBN : 978-2-923771-00-7

Maxime Roussy

>Le secret de Kim

ÉDITIONS
LASEMAINE

> Je ne veux pas savoir quel était son objectif ultime

Après être sortie de chez Kim, je ne savais pas trop quoi faire. Fallait vraiment que j'aère mes esprits. Genre si mes oreilles étaient des fenêtres, elles se seraient ouvertes pour faire passer le plus grand courant d'air possible. Les secrets que Kim m'a confiés m'ont retournée surtout parce qu'ils me concernent.

Même si j'ai des devoirs à la tonne — que je devais justement faire chez Kim après l'école, on a plutôt discuté, c'est toujours comme ça avec elle — je suis allée marcher. Je me suis arrêtée devant un club vidéo où je suis entrée, voir s'il n'y aurait pas un film d'horreur susceptible de me changer les idées. Il y en avait un qui m'intéressait, un truc de malade mental qui tue avec des épingles à tricoter, j'avoue que c'est assez n'importe quoi comme intrigue, mais c'est ce dont j'avais besoin. Malheureusement, il était déjà loué. Je suis donc rentrée à la maison où j'ai assisté à une véritable scène d'horreur. Et là aussi, l'intrigue était n'importe quoi !

Il y a deux jours, Fred, mon frangin ortho, a fait exploser le four à micro-ondes. Depuis qu'il ne joue plus au jeu vidéo qui l'a rendu zombi, il cherche des trucs à faire. Faut croire que sa collection de timbres ne le passionne pas tant que ça. Est-ce qu'on peut lui en vouloir ?

Il est passé d'un monde avec plein de créatures fantastiques où il était maître de l'univers à un autre où on est supposé capoter quand on voit un timbre usagé dont les p'tites dents sont encore en parfait état. Wow!

J'entre dans la maison, Pop et Mom ne sont pas là, Grand-Papi non plus. Mom a laissé un message disant que le souper est sur la cuisinière : de la soupe maison. J'avais faim, je l'ai fait chauffer, puis j'ai appelé Fred et Tintin pour qu'ils viennent dresser la table. Tsé, je ne suis pas une esclave!

Sauf qu'ils ne venaient pas. Je les ai cherchés et quand je suis arrivée devant la chambre de Fred, j'ai essayé d'ouvrir la porte, mais elle était bloquée de l'intérieur.

- Fred? Qu'est-ce que tu fais?

- Va-t'en.

Le ton était super bête.

- On va manger dans cinq minutes, j'ai dit. Faudrait que tu viennes mettre la table.

- Laisse faire, je n'ai pas faim.

J'ai poussé la porte plus fort et j'ai réussi à l'ouvrir de quelques centimètres. C'était la commode qui bloquait. Je n'ai rien vu d'intéressant, juste l'aspirateur et le super méga giga désordre de sa chambre.

À ce moment-là, Tintin est entré dans la maison avec mon petit chien Youki. Ils revenaient d'une promenade. Tintin porte maintenant toujours des jupes. Ça permet à ses jambes de « respirer », dit-il. Je n'ai jamais vu de nez sur les miennes. En tout cas, on verra bien s'il continuera son cirque quand il va commencer à faire froid dehors.

Tintin s'est approché et il m'a demandé ce qui se passait.

- Il est dans sa chambre. Il se passe quelque chose, c'est sûr.

Tintin a regardé par la fente.

- C'est moi, Fred. Laisse-moi entrer.

- OK, mais je ne veux pas que Namasté soit là.

Est-ce que je devais me sentir rejetée ? Un peu frue, je suis retournée à la cuisine pour m'occuper de la soupe qui me criait qu'elle avait besoin d'être remuée.

Quelques instants plus tard, j'ai entendu un cri provenant de la chambre de mon frère. Je m'y suis précipitée et comme la commode n'était plus devant la porte, j'ai tout vu. Une vision effrayante !

Fred a poussé un cri et il m'a claqué la porte au nez. J'étais officiellement traumatisée. J'ai vu beaucoup de scènes d'horreur dans les films, des trucs où le sang gicle partout et où les organes internes rebondissent comme des kangourous qui ont mangé trop de sucre, mais ce à quoi j'ai assisté était... était... terrifiant. Cette image va rester gravée dans ma mémoire pour toujours, j'en suis sûre !

Mon frère a promis à Mom de faire le ménage de sa chambre. La travailleuse sociale qu'il voit pour sa dépendance aux jeux vidéo lui a dit que « l'état de (sa) chambre est le reflet de l'ordre qui règne dans (sa) tête ». Ouch ! Tout est tellement en désordre autour de lui que son cerveau est sûrement à la place de son estomac et vice-versa.

Bref, il a entrepris de faire le ménage de sa chambre. Et il a apporté l'aspirateur. Et je ne sais vraiment pas comment un truc du genre peut se produire, mais on dirait que l'entrejambe de mon frère était coincé dans le tuyau de la machine.

Tintin est sorti et il m'a dit qu'il s'était passé « un accident ». Un accident ?! Voyons voir comment il m'a raconté ça :

- Fred faisait le ménage et il est tombé, et en même temps, il a appuyé sa main sur l'interrupteur de l'aspirateur et le boyau a aspiré *ça*. Et là, il est coincé. J'ai tiré pour l'aider, mais ça ne fonctionne pas.

- Attends un instant ? Mon frère faisait le ménage sans pantalon ni culotte ? Le tuyau ne peut pas s'être trouvé là par hasard !

Tintin a mis la main sur mon épaule.

- Il y a des hasards incroyables, Nam. Et je pense qu'on vient d'assister à l'un d'eux.

- Il est coincé, coincé ? Genre que ça ne bouge pas du tout ?

- Pas un millimètre. Va falloir l'amener à l'hôpital.

- Je vais appeler les parents.

J'ai voulu téléphoner, mais Tintin m'a retenue.

- Non. Je crois qu'il vaut mieux préserver... euh...
l'intimité de ton frère. Ça se passe entre toi, lui et moi.
Sauf qu'il faut convaincre Fred, parce qu'il ne veut rien
savoir de sortir de sa chambre. Ça doit être rendu tout
bleu.

- Argh! Ne me parle pas de ça, OK?

Tintin a composé le 9-1-1 et pendant un instant,
la dame au bout du fil a cru que c'était une mauvaise
blague. Puis une fois qu'elle s'est rendu compte que
Tintin ne plaisantait pas, elle a dit que puisque mon
frère pouvait marcher, il devait se rendre à l'hôpital par
ses propres moyens.

C'est à ce moment-là que Grand-Papi est arrivé. Et dès
qu'il a vu la tête qu'on faisait, il a compris que quelque
chose n'allait pas. Tintin lui a expliqué « l'accident ».
Grand-Papi a réussi à garder son sérieux pendant 0,0004
seconde, puis il s'est esclaffé.

Je dois m'arrêter ici. Quand j'écris, le temps passe
tellement vite! Je reprends demain, après l'école. Là, j'ai
des devoirs à faire et je ne veux pas me coucher trop
tard.

> Je ne sais pas comment lui dire

Journée normale à l'école où j'ai passé le plus clair de mon temps à fuir Kim. Faut que je lui parle, mais je ne sais pas comment m'y prendre. Je ne veux surtout pas la blesser.

De toute façon, il est clair qu'elle s'est rendu compte qu'il y avait un malaise. Et je pense qu'elle s'en veut. Aujourd'hui, elle était trop gentille avec moi. Elle en mettait trop, comme si elle voulait réparer les pots cassés.

Ce ne sont pas des secrets qu'elle m'a révélés, ce sont des bombes qu'elle a larguées ! Genre, je suis sûre que mon sang est rendu radioactif. Va falloir mettre un équipement spécialisé pour m'approcher.

L'histoire que j'ai eue avec Zac a été pénible et quand je l'ai racontée à Kim, ce n'est que moi que ça concernait. Le secret de Kim, j'en fais intégralement partie. Et c'est vraiment gênant.

Je m'attendais à un truc comme « j'ai déjà fait pipi dans les plates-bandes de la voisine » ou « je jette toujours les tranches de fromage orange fluo que ma mère met dans mes lunchs », je ne sais pas, quelque chose d'*inoffensif*. Je ne m'attendais pas à une révélation qui allait me troubler à ce point. Je ne trouve pas ça *cool*.

Fallait que j'en parle, mais je ne savais pas à qui. Mom, non. Pop, fallait que j'oublie ça. Grand-Papi ? Naaan. Fred ? Pfff. Restait Tintin. Pas le meilleur choix au monde, mais le seul. Comme lorsqu'on a vraiment besoin d'aller aux toilettes et que la seule option valable est une toilette bleue qui pue, probablement même qu'elle est propre (ce n'est pas gentil, ça !).

Dès que je lui en ai parlé, il m'a dit :

- T'es tellement naïve, Nam. C'est clair qu'elle est amoureuse de toi.

- Pas si clair.

- On le voit dans ses yeux. De la manière dont elle te regarde.

- Mais je ne suis pas lesbienne. Je l'aime, mais pas de cette manière.

- Alors dis-lui.

- Oui, mais je ne veux pas la heurter.

- Tu n'auras pas le choix. Ça va lui faire mal au début, mais ça va passer.

- Je me sens coupable.

- Ne te sens pas coupable. Ce n'est pas ta faute, c'est la faute de personne.

Depuis hier, j'ai eu le temps de penser à la situation. Je me suis posé la question : est-ce que je suis plus attirée par les filles ou par les gars ? Et la réponse est claire : les gars. J'aime leur corps, comment ils parlent, comment ils agissent, même si souvent, ils agissent comme des singes qui se mettent continuellement les doigts dans les oreilles et dans la bouche et qui trouvent que ça goûte drôle.

On dit que les filles ont quatre ans de plus que les gars au niveau de la maturité. Il y a de l'espoir. Et le but est de trouver le diamant parmi tous ces vulgaires cailloux.

Je n'ai rien contre les filles qui aiment les filles. Ça ne me dérange pas, c'est leur vie. De toute façon, ce n'est tellement pas de mes affaires ! Si personne ne souffre ou n'est abusé, il est où, le problème ? À mon ancienne maison, on avait deux voisines qui habitaient ensemble. Super gentilles, elles me donnaient l'été des tomates de leur jardin. Mom me disait que c'était deux « amies » mais tsé, un moment donné j'ai compris qu'elles étaient amoureuses. Et franchement, je m'en foutais pas mal. Elles s'aimaient ! Tant mieux pour elles.

Mais je sais qu'il y a des gens que ça dérange. Je suis allée me renseigner sur le Net. J'ai lu des trucs horribles dans des forums de discussion. Il y a des personnes vraiment violentes, qui écrivent que si leur fils leur disait qu'il est gai, elles ne leur parleraient plus jamais de leur vie ou elles s'arrangeraient pour le faire tuer !!! 😵

Des personnes ont écrit que c'est une relation contre nature parce qu'une union homosexuelle ne donne pas de bébé. D'autres disent que c'est une maladie, que ces personnes devraient être traitées. C'est fou, il y a une soixantaine d'années, des gens ont été tués parce qu'ils aimaient des personnes du même sexe. C'est tellement con. Vraiment.

J'ai jeté un œil sur le profil de certains de ces internautes et j'ai remarqué que plusieurs faisaient partie d'une organisation chrétienne. Est-ce que c'est un hasard ? Genre, plus tu crois en Dieu et plus tu penses qu'être homosexuel, c'est mal ?

On sonne à la porte.

[1 commentaire]

* *

Vous désirez combattre les nombreux

démons qui errent sur la terre?

Joignez-vous sans tarder à l'Église de

Jésus-sur-la-Croix. Pour une modique somme

d'argent, vous deviendrez Soldat de Dieu et

serez sauvé(e) quand surviendra l'Apocalypse.

(Nous acceptons les cartes de crédit

les plus populaires.)

www.soldatsdedieu.com

* *

Publié le 7 septembre à 18 h 49 par Nam
Humeur : Incrédule

> ## Me serais-je trompée ?

Fred n'est pas allé à l'école aujourd'hui. En se levant ce matin, il a dit à Mom qu'il ne se sentait pas bien. Genre qu'il avait mal au ventre ou un truc du genre. En fait, comme a dit Grand-Papi, il est « irrité » après sa mésaventure avec l'aspirateur. Son orgueil aussi en a pris un coup. Il a fait promettre à tout le monde de ne pas le dire aux parents. Motus et bouche cousue.

Habituellement, chaque fois qu'on fait quelque chose qui sort de l'ordinaire, Grand-Papi a une anecdote à raconter. Pas cette fois. Il a eu beau fouiller dans sa mémoire, rien qui ressemble à ça ne lui est arrivé, ni à lui ni à une connaissance. Une « première », comme il a dit.

Finalement, Fred n'a pas eu à aller à l'hôpital hier. Grand-Papi a réussi à arranger les choses. Il a utilisé une cuillère et de l'huile végétale. Tintin voulait filmer le tout pour le diffuser sur le Net, mais mon frère n'a pas voulu. Même quand il lui a dit qu'il allait pixéliser son visage et censurer les cris de douleur, il n'a pas voulu.

- C'est ta chance de devenir un phénomène sur Internet. C'est sûr qu'en deux jours, au moins un million de personnes vont t'avoir vu. Après, *sky is the limit*. Tous les producteurs vont s'intéresser à toi.

Grand-Papi a rappelé à Tintin que mon frère n'était pas encore majeur et que, pour enclencher le processus de célébrité, il lui faudrait une signature des parents.

- Et je veux au moins 20 % de tous tes revenus, a dit Grand-Papi à Fred.

(Je m'arrête ici : je tiens à mentionner que je n'ai pas mis les pieds sur les lieux du crime. Je tenais à préserver le peu d'insouciance qu'il me reste.)

Pendant quelques longues minutes, on a cru que les urgences allaient être nécessaires. Mon frère était désespéré. Il ne s'imaginait pas vraiment arriver à l'hôpital avec notre aspirateur et son boyau (parce que les deux ne se détachent pas) fixés à son *swizzel*. Puis Tintin a suggéré de recouvrir l'aspirateur d'un manteau de fourrure, ce qui lui donnerait l'apparence d'un animal de compagnie. Quoi?! (:) Fred était presque convaincu! Le problème est qu'il n'y a pas de manteau de fourrure dans la maison. L'autre est qu'il faut vraiment avoir une mauvaise vue pour considérer un aspirateur recouvert d'un manteau de fourrure comme un animal de compagnie. Comme si ce n'était pas assez, Tintin en a rajouté :

- On va lui mettre des balles de ping-pong pour les yeux. Les gens vont n'y voir que du feu.

Finalement, pas d'hôpital.

Mon frère maintient que c'est un « accident ». Genre que l'aspirateur est devenu « fou » (comme un boyau d'arrosage qui subit une trop forte pression d'eau) et qu'il l'a « attaqué ». Ce serait une première mondiale.

Mais supposons que c'est vrai, qu'est-ce qu'il faisait à moitié nu?! Je ne veux pas le savoir, finalement.

(…)

J'ai parlé à Kim. Conversation vraiment biz. C'était elle, tantôt, à la porte. On est allées dans ma chambre. Je n'étais pas prête pour une discussion. Pas grave, ça ne s'est pas passé comme je le pensais.

Les deux secrets de Kim étaient :

1- Elle était amoureuse de moi.

2- Elle croyait sincèrement que j'avais les plus belles lèvres du monde.

Sauf que tantôt, lorsqu'elle est venue, elle s'est ravisée. C'était une blague. Elle me niaisait. Elle m'a dit qu'elle voulait seulement voir ma réaction. Elle m'adore, mais n'est pas amoureuse de moi. Mais elle trouve quand même que j'ai de belles lèvres.

Alex, le gars qui me court après et que je voulais traumatiser avec ma fausse collection de timbres, m'a aussi dit ça aujourd'hui. Mais bon, je suis sûre qu'il débite ce genre de sornettes à toutes les filles.

Je ne sais pas trop quoi en penser. Je ne connais pas encore Kim suffisamment pour déterminer si elle blaguait vraiment ou si elle disait la vérité. Voyant que je n'ai pas eu la réaction qu'elle souhaitait, peut-être a-t-elle préféré se rétracter. Si je lui avais répondu que je l'aimais moi aussi, si je n'avais pas semblé aussi désemparée, elle aurait assumé, enfin j'imagine.

Je ne sais plus. Je suis perdue.

Je vais faire comme si elle avait voulu plaisanter. Et je vais arrêter de me sentir mal.

Je vais aller lire.

Publié le 8 septembre à 17 h 02 par Nam
Humeur : Convaincue

> Elle ment

J'ai repensé à tout cela la nuit dernière et pendant la journée, et je suis persuadée que Kim bluffe. Elle m'aime et elle ne veut pas l'avouer.

Je me suis rappelée des trucs qu'elle m'a dits, genre qu'elle sentait quelque chose de « spécial entre nous », la crise de jalousie qu'elle a faite quand elle a su que j'avais clavardé avec Alex toute une nuit, cette histoire avec la fille du cinéma qu'elle ne voulait vraiment pas revoir. D'ailleurs, je lui en ai parlé aujourd'hui, à l'arrêt d'autobus, quand on revenait de l'école. Elle m'a dit qu'elle ne voulait pas en parler, pas maintenant.

Parlant d'Alex, je ne suis plus sa saveur du jour. Il me laisse tranquille maintenant. Il colle une autre fille. C'est plate, j'aimais ça... Je suis un peu jalouse. Juste un peu. Peut-être que j'aurais pu devenir sa blonde. J'aimais ça me faire dire que j'étais belle, que j'avais une belle voix, que je marchais bien... Bon, OK, les commentaires sur ma démarche, c'était pas mal *nawak*, mais c'était quand même agréable. 🙄

Pour revenir à Kim, je ne peux rien faire. Je ne peux toujours pas me prétendre lesbienne pour voir sa réaction et lui envoyer ensuite un gâteau où ce serait écrit : « C'était une blague, je voulais juste voir ta réaction. »

Et je ne peux pas l'obliger à passer un test au détecteur de mensonges afin de lui faire avouer la vérité ! 😔

Ça s'est bien passé avec elle aujourd'hui, même s'il y a encore un petit malaise. On a travaillé ce midi à sa campagne électorale. C'est demain qu'elle doit remettre son formulaire. Elle a le choix entre présidente de niveau ou présidente du Comité étudiant des cinq niveaux. La semaine dernière, elle voulait s'essayer à présidente du Comité étudiant, mais là, elle n'est plus sûre. Elle a peur de perdre, je la comprends. Je suis nouvelle à cette école, je ne connais pas grand monde, mais elle m'a dit qu'en secondaire 5, il y a des grosses têtes super populaires. Elle m'a demandé mon opinion, je ne savais trop quoi lui dire. Ça dépend d'elle. De toute façon, qu'elle se présente à l'un ou à l'autre, je vais l'appuyer.

Elle m'a expliqué mon rôle de « directrice de campagne » (j'espère que je vais avoir des cartes professionnelles). Il consiste à coordonner ses « apparitions » (comme un esprit !) et à m'assurer qu'elle se consacre uniquement à sa campagne, c'est-à-dire qu'elle ne se casse pas la tête avec des problèmes mineurs. Bref, je fais un travail dont personne ne veut. Est-ce que je me fais avoir ?!

En secondaire 2, elle connaît tout le monde ou presque. Et elle n'a pas d'ennemis, tout le monde est gentil avec elle et l'appelle par son prénom. Pour les autres niveaux, c'est une autre paire de manches. Elle a la nuit pour y penser. C'est la première fois que je la vois hésiter. Elle est tellement sûre d'elle habituellement.

Sinon, l'école, c'est l'école. Rien à signaler. J'ai hâte à la première réunion de l'équipe d'impro. Ça va me faire du bien de m'éclater un peu. Aussi, je pense au roman que je veux écrire. J'en parle, j'en parle, mais quand je veux l'écrire, je bloque. J'ai au moins décidé du genre : ce sera de l'horreur. Hé, hé... C'est surprenant, non ?

C'est le temps des devoirs. Je vais les faire *rapido* pour m'en débarrasser.

> **Kim capote**

Kim est ambivalente. Elle ne sait vraiment pas quoi choisir. Présidente de niveau ou du Comité étudiant? Je ne peux pas décider pour elle et on dirait que c'est ce qu'elle voudrait que je fasse. Au téléphone (on se regarde par la fenêtre quand on se parle, elle dans la chambre à débarras, moi dans ma chambre!).

- Mais toi, tu penses que j'ai le plus de chances où?

- Si je me fie à ce que tu m'as dit, t'as plus de chances à notre niveau.

- Tu crois que je n'ai aucune chance si je me présente au Comité étudiant.

- Non, non. Ce n'est pas ce que j'ai dit. J'ai dit que t'avais plus de chances d'être présidente de niveau.

- OK, mais est-ce que tu penses que les autres élèves de l'école vont voter pour moi?

- Ouais, pourquoi pas?

- Parce qu'ils ne me connaissent pas.

- Ils vont apprendre à te connaître.

- Mais qu'est-ce que je fais si je ne suis pas élue?

- Ce n'est pas la fin du monde. L'année prochaine, tu te représenteras.

- C'est la fin du monde ! Je ne peux pas attendre une année.

- Alors propose ta nomination pour le secondaire 2, c'est tout.

- Je savais que tu pensais que je ne serais pas capable pour le Comité étudiant !

- CE N'EST PAS CE QUE J'AI DIT !

Argh ! 😠

Finalement, après s'être laissé convaincre que peu importe le choix qu'elle allait faire, elle avait de bonnes chances de gagner, elle m'a dit qu'elle s'accordait la nuit pour réfléchir.

Si j'étais elle, je ne sais pas ce que je ferais. D'un côté, elle est presque certaine de gagner. De l'autre, il y a un gros risque. Mais c'est ce qui est excitant, non ? Quand c'est trop facile et que c'est prévisible, c'est quoi l'intérêt ?

Finalement, je me présenterais pour le Comité étudiant. Plus de travail, plus de risques, mais plus de sensations fortes.

Faut croire qu'Alex m'a bloquée dans Messager. Il est toujours en ligne et depuis cet après-midi, je ne l'ai pas vu. C'est Kim qui avait raison dans le fond : il jette les filles après usage. Au moins, moi, il ne m'a pas « utilisée ». Peut-être qu'avec moi, il aurait changé d'attitude. Genre, il serait tombé tellement amoureux de moi que toutes les autres filles seraient disparues.

C'est beaucoup de peut-être. Je ne le saurai jamais.

Publié le 9 septembre à 16 h 28 par Nam

Humeur : Massacrante

> C'est une réglisse noire !

J'ai passé une super mauvaise journée.

Ça a commencé ce matin, je me suis levée de mauvaise humeur. J'ai fait des cauchemars toute la nuit. Je ne me rappelle plus les détails, mais je me suis réveillée au moins cent fois (minimum !) en panique. À 4 h du matin, je ne pouvais plus me rendormir. J'avais peur ! J'ai allumé la lumière de ma chambre et j'ai serré Youki-mon-petit-chien-adoré dans mes bras. Lui va me défendre si je me fais attaquer. C'est un super protecteur, ce chien. Il est petit, mais il a de minuscules dents qui peuvent percer la carcasse d'une automobile.

Je me suis rendormie dix minutes avant que mon réveille-matin ne sonne. Évidemment. Il a fallu que je fasse la queue pour aller à la salle de bains, il y avait Fred et Mom avant moi. Pop s'est levé en retard pour aller travailler, il fallait ABSOLUMENT qu'il prenne une douche. C'est connu de tous que s'il passe une seule journée sans se laver, des terroristes vont le détecter et le kidnapper.

Quand j'ai voulu m'habiller, je ne trouvais pas la jupe qui allait avec mon chemisier. J'ai tout de suite pensé que Tintin me l'avait empruntée (il continue toujours avec cet accoutrement stupide), alors je l'ai accusé, mais finalement, elle était dans mon tiroir, à sa place. 😟

En me rendant à l'école, j'ai encore eu droit aux hésitations de Kim, alors je lui ai dit, *full* bête :

- Arrête de niaiser et choisis le Comité étudiant.

Elle ne l'a pas trop mal pris. Je crois que c'est ce dont elle avait besoin : que quelqu'un décide à sa place sans lui laisser la chance de répliquer.

Les cours ont été d'un ennui mortel et entre la deuxième et la troisième période, je suis allée aux toilettes et j'ai croisé deux filles de ma classe. Elles m'ont dit qu'Alex racontait à tout le monde que j'étais frigide et que c'était pour cette raison qu'il avait refusé de sortir avec moi. Genre que je me serais mise à genoux devant lui et que je l'aurais supplié. Quoi?! 🤬 J'étais tellement fâchée !

J'en ai parlé à Kim qui n'était pas trop surprise, même si elle trouvait ça pas mal chien. Paraît que c'est son « genre ». Ouain, je vais lui en faire un genre, moi !

(Même si je ne savais pas ce que voulait dire le mot « frigide », j'ai été capable de deviner que ce n'était pas gentil. Je suis allée à la bibli et j'ai regardé dans un dictionnaire. « Frigide : se dit d'une femme qui n'éprouve pas de désir ni de plaisir sexuel. » C'est tellement chien !)

On s'en allait en maths. Je l'ai accroché avant qu'il entre dans la classe :

- Pourquoi tu racontes que je suis frigide ?

(J'ai failli dire « Frigidaire ».)

Il m'a fait un sourire narquois.

- C'est toi qui le dis.

- Arrête de niaiser. Parce qu'une fille ne veut pas sortir avec toi, faut nécessairement qu'elle soit frigide ?

Il allait entrer dans la classe, je lui ai bloqué le chemin.

- Arrête de raconter n'importe quoi. Sinon...

Là, j'ai hésité. Je n'aurais pas dû. Il a fini ma phrase :

- Sinon quoi ? Tu vas me transformer en bloc de glace ?

Et il est entré. Pendant tout le cours, avec ses amis crétins, il a ri de moi. Kim est allée leur parler, mais ça n'a rien changé.

Eh puis pour mettre un point final à cette formidable journée, en me dirigeant vers l'arrêt d'autobus, j'ai été interceptée par des secondaires 5 qui initiaient les nouveaux. Pourtant, le directeur a été super clair, les initiations sont formellement interdites (le mot correct est bizutage, c'est laid, non ?). Il y avait des gars avec des crayons-feutres dans les mains et ils dessinaient sur les joues de chaque secondaire 1 qu'ils croisaient des stupidités comme un bonhomme allumette avec entre les deux jambes un gros pénis. Wow ! Tellement drôle. Mais surtout tellement con !

- Ils n'ont pas le droit, j'ai dit à Kim.

- Ils peuvent se défendre et dire qu'ils ne sont pas sur le terrain de l'école.

- Oui, mais ce sont des élèves de l'école qui initient d'autres élèves de l'école.

- Je sais, mais qu'est-ce que tu veux faire? Leur confisquer leurs marqueurs? Ils ne sont pas stupides, on est vendredi. Les victimes vont prendre le temps d'y penser et ils ne vont pas porter plainte.

- Pourquoi pas?

- T'aurais le goût pendant une année de croiser des gars qui t'ont initiée et que t'as dénoncés? Pas moi.

- Pfff... Je m'en fous pas mal.

- Ces gars-là sont super populaires. Ils ont plein d'amis.

- Qu'est-ce que ça change? Ils n'ont pas le droit.

- Laisse faire, Nam.

Mon sang bouillait et j'essayais de me raisonner. C'est sûr que se faire des ennemis la première journée d'école, ce n'est pas l'idéal.

Quand on a passé devant les idiots, un des gars a reconnu Kim, mais pas moi. Il m'a demandé si j'étais en secondaire 1.

- Non, elle est en deux, a dit Kim.

- Ouais, mais t'es nouvelle, non? T'es pas celle qui a mordu dans le blé d'Inde bleu?

Ça y est, on venait de m'apprendre que j'étais une célébrité. 😖

Pendant ce temps, il y a une fille, toute petite avec des lunettes (SOLIDARITÉ!) qui ne voulait pas se laisser faire. Elle disait aux gars qu'elle avait une peau super sensible et que l'encre allait lui donner des démangeaisons. Mais ils ne voulaient pas l'écouter, évidemment. Elle était sur le bord des larmes. Alors j'ai pris sa défense.

- Laissez-la tranquille. Vous devez accepter son choix.

Les gars se sont tournés vers moi.

- T'es qui, toi? m'a demandé le plus grand.

- Naaam... a murmuré Kim.

- Je suis une fille qui a une tête sur les épaules.

- Elle est nouvelle, a dit un gars.

- Ah oui, a fait le grand en enlevant le bouchon de son marqueur.

Je l'ai montré du doigt.

- Si tu me touches...

Quand je dis que le gars était grand, il était *vraiment* grand.

- Qu'est-ce qui va se passer? il a demandé.

Ses amis ont ricané comme des hyènes (d'ailleurs, il y en a un qui y ressemblait étrangement, il riait comme celles que l'on voit dans le film *Le Roi Lion*).

- Je vais te dénoncer au directeur. Les initiations sont interdites.

Le grand tarla a fait semblant de pleurnicher.

- Vous avez entendu, les gars? Elle va le dire au directeur!

Les autres gars ont commencé à pleurnicher aussi. Le grand s'est avancé vers moi.

Je me suis reculée et j'ai heurté quelqu'un. En me retournant, j'ai vu que c'était mon frère. Tintin l'accompagnait.

- Il y a un problème ? a demandé Fred.

J'ai montré du doigt le géant.

- Il veut m'initier.

- T'allais pas toucher à ma sœur ? il a demandé.

QUOI ?! Mon frère qui se porte à ma défense !? J'avais l'impression de rêver !

Le gars a jeté un œil à la jupe de Tintin et a regardé mon frère. Puis il a retraité.

- Bah, non. C'était une blague.

J'ai montré du doigt la petite fille.

- Pour elle aussi, tu blaguais ?

- Ouais, ouais, a dit la grande asperge.

On a tous pris l'autobus ensemble et la fille, qui s'appelle Patricia, m'a remerciée. C'est Fred qui a fait tout le travail — ou peut-être que le grand s'est dit qu'un gars en jupe était potentiellement dangereux pour son intégrité physique. 😄

Finalement, ce n'est pas une si mauvaise journée. Ça fait tellement du bien d'écrire. Ça me libère tellement !

Et j'adore Fred !

Publié le 9 septembre à 22 h 07 par Nam
Humeur : Fatiguée

> Et pour clore la journée

J'ai passé la soirée avec Kim. On devait travailler sur la campagne électorale, commencer à faire des affiches, mais ça ne nous tentait pas finalement. On a décidé d'aller louer un DVD. Il pleuvait, c'est Grand-Papi qui nous a reconduites.

On a choisi le film d'horreur avec le tueur aux aiguilles à tricoter. C'était tellement poche ! Sur la pochette, ça semblait vraiment *cool*. Mais genre sur 90 minutes, il y a juste cinq minutes de scènes dégoûtantes. Et les effets spéciaux sont super poches. Genre, lorsque le tueur (que sa mère forçait à tricoter des pantoufles quand il était jeune — *nawak !* [c'est ma nouvelle expression, ça paraît ?]) enfonce des aiguilles dans les yeux de ses victimes, ça paraissait trop que c'était des mannequins. J'ai pris la télécommande et j'ai fait avance rapide jusqu'aux scènes où il y avait quelque chose d'intéressant. Il y a un deux minutes *cool* où ses aiguilles lancent des lasers sans aucune raison particulière, mais le reste, beurk ! Et la blonde du tueur, quand elle se rend compte que c'est un assassin, crie pendant deux minutes sans arrêt en courant dans la maison. Elle est seule ! On a trop ri.

Il y a eu plus d'action au vidéoclub que dans le film. Moins de sang cependant. Une chance.

La commis ne voulait pas nous louer le film parce qu'on n'avait pas l'air d'avoir 14 ans. Je n'ai jamais eu de problème pour louer des films d'horreur. Jamais, même si c'était parfois écrit sur la pochette « 18 ans et plus ».

- Ça tombe bien, toi non plus tu n'as pas l'air d'avoir 14 ans, lui a dit Kim.

Baveuse... Ma *best* avait raison, elle n'avait pas l'air vraiment plus âgée que nous. La commis, — son nom était « Jasmine-pour-vous-servir-assistante-de-l'assistante-gérante », — s'est fâchée et elle m'a arraché le film des mains.

- Pas de carte d'identité, pas de film.

J'ai sorti la carte d'identification que j'utilise pour prendre l'autobus. Je la lui ai montrée, ma date de naissance est inscrite dessus.

- Regarde, j'ai 14 ans.

Elle a montré du doigt une affichette.

- Le permis de conduire ou la carte d'assurance-maladie. Le reste ne passe pas.

J'ai regardé Kim, j'ai levé les yeux vers le plafond. Après la journée que je venais passer, je n'avais *tellement* pas le goût de me battre.

- Regarde, c'est un film d'horreur, pas un film de fesses. Promis, si on se ramasse dans un institut psychiatrique parce qu'on est traumatisées, on va taire ton nom.

« Jasmine-pour-vous-servir-assistante-de-l'assistante-gérante » a mis le film sous le comptoir et elle est retournée laver la machine à popcorn! C'était complètement absurde. On voulait louer un film, pas acheter de l'alcool ou emprunter de la dynamite.

Je suis allée voir Grand-Papi et je lui ai expliqué. Lui non plus ne comprenait pas. Quand il est arrivé au comptoir, il a sorti son permis de conduire et il a dit à la commis :

- J'aurai 14 ans demain. Vous me permettez de louer ce film ?

« Jasmine-pour-vous-servir-assistante-de-l'assistante-gérante » était gênée. Elle a commencé à expliquer qu'il y avait des « polices de clubs vidéo » et que si elle se faisait prendre à louer un film à une personne qui n'a pas l'âge, elle pourrait perdre son emploi. Misère...

Tout ça pour ça. Au moins, si le film avait été bon ! Je suis capable d'écrire des histoires d'horreur mille fois plus effrayantes que ça.

Ah oui, j'ai oublié, pendant le souper, j'ai dit que Fred m'avait défendu devant un ogre qui voulait me défigurer. Et Pop lui a mis la main sur l'épaule et lui a dit qu'il était fier de lui. Trop *cool!*

Publié le 10 septembre à 10 h 28 par Nam
Humeur : Inquiète

> Bébé renard ne va pas bien

Après le déjeuner ce matin, j'ai passé du temps avec le renardeau. Il est devenu un membre à part entière de la famille. Même Mom, qui ne voulait rien savoir de lui, a du plaisir avec lui. Il a commencé à mordre, cependant. Ses dents sont vraiment pointues. Il faut faire attention quand on joue, il m'a vraiment fait mal avant-hier.

Sauf que j'ai découvert ce matin qu'il lui manquait des poils sur les pattes avant et que sa peau était irritée. Grand-Papi m'a dit que c'est parce qu'il se léchait trop.

- Pourquoi il fait ça?

- Je pense que c'est nerveux, il m'a dit. J'ai déjà eu un chien qui agissait comme ça quand on était absents de la maison trop longtemps.

- Il y a toujours quelqu'un ici. Pourquoi il agit comme ça?

- C'est un trouble nerveux. Il y a quelque chose qui le stresse.

- Mais quoi? Il a tout ce qu'un renard peut espérer, on lui donne de la bouffe quand il veut et il a tout plein d'amour.

- On verra. Si ça ne se calme pas, j'irai consulter un vétérinaire.

J'espère vraiment qu'il va cesser. Pendant que j'étais avec lui, il ne s'est pas léché. Faut dire que je ne lui ai pas laissé le temps. Mais dès que je me suis levée pour partir, il s'est attaqué à ses pattes. Il les léchait avec plein d'ardeur. Je lui ai dit de ne pas faire ça et j'ai éloigné sa tête. Mais il a recommencé avec encore plus de vigueur. Pas *cool* du tout. ☹

Aujourd'hui, je dois travailler avec Kim à la campagne électorale. On va savoir lundi combien de personnes se présentent. S'il y en a plus de cinq, nous aurons deux jours pour recueillir cinquante noms, dont au moins dix dans chaque niveau. Après, il y aura deux semaines de campagne. L'école nous accorde cinquante dollars pour la promotion. Pas le droit de dépenser plus. Comme Kim a dit, ce n'est vraiment pas beaucoup. Il faut acheter les cartons, faire quelques macarons et rédiger des tracts énumérant nos promesses électorales. C'est un projet beaucoup plus gros que je l'avais imaginé. Il faudra travailler fort durant les prochaines semaines. Pas grave, ça ne me fait pas peur.

Le jour précédant le vote, il y aura un débat pendant l'heure du dîner, suivi d'un discours. Que je vais écrire. J'ai hâte !

(...)

Mom vient de m'annoncer qu'on va souper chez une de mes tantes ce soir. Bof, ça ne me tente pas trop. Elle m'a demandé si je voulais venir avec un air de dire « même si je te donne l'impression que tu as le choix, tu ne l'as pas ». C'est la sœur de mon père, elle s'appelle

Huguette. Gentille, mais elle boit toujours trop. Et ça crée des malaises.

Mon cousin Charles, son fils, a le même âge que moi, mais il est plate. Il répond par des « oui » et des « non » et passe son temps *écrapouti* devant la télévision à regarder les DVD de la série des *Simpson*. Un ou deux épisodes, ça va, mais dix en ligne, non. Et il les connaît par cœur.

Allez, on verra.

Il n'y a rien de
drôle là-dedans

Namxox

> **Elle doit arrêter**

Wow ! J'ai rarement vu mon père dans cet état. Je me sens mal pour lui. 🙁

On devait souper chez ma tante Huguette ce soir. Je ne voulais pas y aller, mais bon, ça faisait plaisir à Mom et à Pop, alors pourquoi pas ? Je sentais que ça ne tentait à personne d'y aller, mais on se voit si peu souvent que c'est difficile de lui dire non quand elle nous invite. Et depuis qu'on s'est rapprochés d'elle en déménageant, on n'a plus de raisons de refuser.

Il y a toujours eu un malaise entre Pop et sa sœur. Je crois qu'il en a honte. Ou ça lui rappelle de mauvais souvenirs. Son père aussi était alcoolique. Et Mom m'a dit que lorsqu'il était en état d'ébriété, ça lui arrivait d'être violent et d'avoir des comportements regrettables. Genre, il frappait mon père pour rien ou le réveillait en pleine nuit pour lui faire tondre la pelouse.

Heureusement, je n'ai jamais vu mon père boire jusqu'à devenir saoul. Il boit un verre de vin une fois de temps en temps, genre quand on a des invités. C'est tout.

Mon grand-père est mort d'une maladie du foie à 55 ans. Ça s'appelle quelque chose comme le machin-rose du foie. Je vais aller vérifier sur le Net. (...) Bon, il

41

est décédé des suites d'une cirrhose. Je viens de voir des photos d'un foie normal et d'un foie malade et, eurk!, c'est dégoûtant. C'est comme une boulette de steak haché ultracuite. ☹

Pop n'a même pas assisté aux funérailles de son père. Il avait coupé tous les ponts depuis des années. Je suis quand même heureuse qu'il ne soit pas violent et qu'il ne boive pas. Il ne parle pas beaucoup, il est renfermé, des fois il se fâche pour des riens, mais ça se tolère très bien.

Ce n'est pas le cas de ma tante. Elle boit toujours. Elle est incapable de s'arrêter. Mom dit que c'est une « maladie » assez répandue et qui fait du mal à plein de monde, pas juste à la personne qui boit. Je suis d'accord, mais si c'est une maladie, ça se guérit, non? Alors pourquoi elle ne le fait pas? Pourquoi elle ne va pas voir un médecin et ne se fait pas traiter?

- Ce n'est pas si simple, a répondu Mom. Il faut aussi guérir la tête.

Une fois à son appartement, on a sonné plusieurs fois. Pas de réponse. Pourtant, il y avait de la lumière au deuxième, là où elle habite. J'ai appris de Pop que son auto n'y était pas parce qu'elle a perdu son permis de conduire. Elle s'est fait prendre saoule au volant pour la troisième fois! Je ne savais même pas qu'elle avait déjà conduit, elle a toujours dit qu'elle n'aimait pas ça, que c'était stressant.

La porte était déverrouillée, on est entrés. On a croisé un inconnu qui dévalait les marches deux par deux.

Puis ma tante est apparue au haut, elle lui criait des trucs pas très gentils. Quand elle nous a vus, elle a souri.

- Bonjour !

- C'était qui ? a demandé Pop.

- Mon *chum*.

L'inconnu a rétorqué avant de claquer la porte :

- Ton ex-*chum*.

Bel accueil !

Même si elle n'en avait pas l'air, ma tante était saoule. Elle sentait l'alcool à plein nez.

- Tu dois arrêter, lui a dit Pop.

Elle a fait comme si de rien n'était :

- Arrêter quoi ?

- L'alcool. Tu vas finir comme papa.

L'appartement était sens dessus dessous. Mon cousin était affalé dans le canapé. Il regardait la télévision. Miracle, ce n'était pas un épisode des *Simpson*. Je lui ai envoyé la main, il ne m'a même pas regardée.

Pendant deux ou trois minutes, Pop, Mom et Huguette ont discuté. Puis, Charles s'est penché et il a attrapé une bouteille de bière qu'il a portée à sa bouche. Woh ! J'avais les yeux grands ouverts, mon père aussi.

- Ce n'est pas de la bière ? a demandé Pop.

- Oui, a dit Huguette. Il a 14 ans, faut bien qu'il apprenne à boire.

- Non, pas à 14 ans.

- Arrête, c'est drôle.

Drôle ?! Là, Pop a pété les plombs. Il a arraché la bouteille des mains de mon cousin et il est allé la vider dans l'évier de la cuisine. Quand il est revenu, il s'est mis à enguirlander ma tante. Genre, lui dire qu'elle était une mauvaise mère, qu'elle devrait aller en thérapie et que s'il le fallait, il n'allait pas hésiter à appeler la DPJ pour la dénoncer. Huguette aussi a commencé à crier. Charles a mis ses écouteurs et Mom et moi sommes sorties.

Nous sommes allés manger au resto, finalement. Manger est un bien grand mot, aucun de nous n'a touché à son assiette.

En revenant à la maison, j'ai vu Pop verser des larmes. C'était la première fois de ma vie que je le voyais pleurer.

Ça, c'est un vrai film d'horreur.

Publié le 11 septembre à 9 h 31 par Nam
Humeur : Maussade

> Quoi faire ?

Ça m'a pris du temps à m'endormir. Il pleuvait fort hier soir et les gouttes de pluie fouettaient ma fenêtre. Comme si le ciel pleurait avec moi.

La dernière fois que j'ai regardé mon réveille-matin, il était 2 h 07. J'ai continué à faire de l'insomnie pendant au moins une autre heure. J'étais sûre qu'en me réveillant, j'allais devoir jeter mes draps parce que trop usés à force de faire des vrilles.

L'histoire de ma tante est triste, celle de mon cousin aussi. Mais c'est la réaction de mon père qui m'a troublée. Pop a *pleuré*. 😞 Je ne pensais jamais voir ça un jour.

Mom pleure souvent. Pour des riens, la plupart du temps. Après un film triste ou quand elle se chicane avec mon frère. Mais Pop...? Non. C'est un militaire. Il est dur. Et rien ne le fait paniquer ou presque (sauf quand mon frère fait exploser le micro-ondes). Il est secret, il ne parle jamais de ses émotions. Et c'est parfois difficile à vivre. Mais on peut toujours compter sur lui. Si ma chambre était envahie par des fourmis rouges mangeuses d'adolescentes (ça se peut !), il serait le premier a y entrer afin de trouver mes lunettes que j'ai oubliées sur ma table de chevet. Toute petite, quand je faisais des cauchemars, c'est Pop qui venait à ma rescousse. Il se couchait à mes côtés et me disait qu'il allait rester éveillé pour s'assurer qu'il ne m'arrive rien.

Mais son sang-froid peut aussi jouer des tours. Un exemple qui me vient à l'esprit : Noël. C'est toujours la même chose, j'essaie de lui trouver le cadeau le plus *cool* qui soit, Mom aussi. Fred, lui, ne se casse pas la tête, il lui fait un bricolage. Même s'il a 17 ans. Sans blague. Avec des nouilles pas cuites et de la gouache. Et on dirait que chaque année, c'est de plus en plus confus. Fred régresse. Il dit que c'est de l'art contemporain. Je dis que c'est de la nourriture gaspillée.

Mom et moi, on essaie d'être les plus originales possible. Chaque fois on se dit que Pop va être émerveillé par notre trouvaille. Eh bien non. Il n'a aucune réaction. Il reste de glace. Même si je mets dans la boîte un écureuil super agressif ou un lingot d'or qui joue de la guitare (ou un écureuil qui joue de la guitare ou un lingot d'or super agressif), il ne se passe rien sur son visage. Impassible, on dit. Un sourire poli, un merci, c'est tout.

J'ai parlé de tante Huguette à Mom ce matin. Je voulais savoir pourquoi elle ne faisait rien pour se guérir de sa « maladie ». Mom m'a expliqué qu'on ne peut pas forcer un alcoolique à se faire soigner. Il faut que ma tante le décide d'elle-même sinon, c'est sûr que ça va échouer. D'ailleurs, elle est allée une dizaine de fois en thérapie et elle a rechuté chaque fois. Mom m'a dit qu'elle buvait depuis l'adolescence. C'est mon grand-père qui lui a offert son premier verre. Et elle fait la même chose avec son fils. Dégueu. ☺

J'ai aussi dit à Mom que je n'avais pas aimé voir Pop pleurer. Je n'ai jamais pensé que c'était un androïde ou un extraterrestre, je sais que c'est un être humain qui a des sentiments. Mais le voir pleurer, ça m'a inquiétée. Mom m'a dit qu'elle n'aimait pas le voir comme ça.

Y'a quand même du positif là-dedans. Il y a toujours du positif dans toute chose ! Je me suis branchée à Messager la nuit dernière et il n'y avait qu'une personne en ligne : Michaël, le gars qui s'est retrouvé avec le t-shirt de Zac. Je lui ai souhaité bonne nuit, j'avais besoin de parler. Il m'a demandé comment j'allais, je lui ai répondu « Bof ». On a discuté pendant une demi-heure. Je lui ai tout raconté et il a pris le temps de m'écouter, même s'il était super fatigué et qu'il s'en allait se coucher. Il a été adorable. Il m'a même donné son numéro de cellulaire, au cas où j'aurais besoin de parler. Je lui ai aussi donné mon numéro de téléphone à la maison, comme ça, au cas où lui aussi aurait besoin de parler.

Je dois me changer les idées. Aujourd'hui, Kim vient à la maison. On doit travailler à sa campagne. Faut qu'on trouve un slogan et qu'on prépare les pancartes. Je vais prendre des photos d'elle, on va les imprimer et les coller sur des cartons. Faut aussi qu'on prépare un tract avec ses promesses électorales. Beaucoup de pain sur la planche.

Ça va être amusant !

48

Publié le 11 septembre à 17 h 06 par Nam
Humeur : Enthousiaste

> J'ai hâte que ça commence!

Kim et moi avons travaillé tout l'après-midi sur sa campagne électorale. On s'est vraiment amusées! On a ri comme des malades.

Ce matin, on a fait un *brainstorming* (mon dictionnaire me dit que c'est un anglicisme, il me dit que c'est plutôt un « remue-méninges ». Bof, c'est plus *cool* « tempête de cerveau », non?).

Pendant genre quinze minutes, tout ce qui nous passait par la tête comme idée de slogan, on l'a écrit. Il y en a des vraiment débiles, mais bon, le but était de ne pas faire de censure.

Avec Kim, ce sera sublime!

Votez Pour Kim

À l'aide, Kim! C'est plein d'enzymes!

Kim vient de Chine!

Avec Kim, pas de frime!

C'est unanime, il nous faut Kim!

Avec Kim, fini les crimes!

Pas de régime avec Kim!

Pour une démocratie qui fait du gym, c'est Kim!

Et d'autres dont je ne me souviens pas parce qu'ils étaient encore plus pétés.

Je suis pas mal fière parce que c'est moi qui ai trouvé celui qu'on a adopté : « C'est unanime, il nous faut Kim ! »

Cool!

Ensuite, on est allées acheter des cartons. Kim ne sait pas encore où on aura le droit d'afficher, donc on en a pris juste cinq. On a mis les factures dans une enveloppe. Si on dépasse les 50 $ alloués par l'école, on est cuites. Pas même de 1 $. C'est 50 $ sans les taxes, cependant.

Kim m'a dit que l'an passé, deux équipes ont été éliminées parce que les dépenses excédaient le montant. Alors faut être vraiment prudentes. C'est ma responsabilité de tout calculer.

J'ai pris une photo du visage de Kim. On a beaucoup niaisé avant d'arriver à une photo qui fait sérieux. Elle n'arrêtait pas de faire des grimaces ou de fermer les yeux. On s'est rendues ensuite au centre de photocopies et on les a fait imprimer. C'est cher : 2,50 $ chacune ! Ouch. Ça fait mal au budget. Cinq cartons à 1 $ plus cinq photos à 2,50 $, il ne reste plus que 32,50 $. Ça passe vite !

Demain, on va savoir combien de personnes ont posé leur candidature. S'il y en a moins que cinq, la campagne pourra commencer mardi matin. S'il y en a plus, on aura deux jours pour trouver les signatures et la campagne pourra démarrer jeudi. Elle se termine le 24 septembre avec le vote en après-midi. On va avoir les résultats le lundi suivant, le 27. Deux semaines, c'est long !

(...)

Je viens de parler avec Michaël sur Messager et il m'invite au cinéma ce soir. Pour me « changer les idées ». Trop gentil ! Je demande à Mom.

(...)

Argh ! Elle a refusé parce qu'il y a de l'école demain, mais j'ai réussi à la convaincre. Je dois revenir immédiatement après le film. Il est à 19 h, je dois manger et me préparer.

Je n'aurai jamais le temps !

Publié le 11 septembre à 22 h 25 par Nam
Humeur : Heureuse

> **Super soirée**

Michaël est vraiment chouette. 😃 On a bien rigolé. Il est venu me chercher avec l'auto de ses parents. Un truc luxueux avec plein de lumières dedans. Pop a quasiment fait une inspection mécanique avant que j'embarque.

On a mangé un popcorn à deux et un jus extrarouge et extrasucre. Et des réglisses rouges, bien entendu ! Au diable mes broches ! J'ai passé le jet du pommeau de la douche sur mes dents et tout est parti.

Ensuite, il voulait qu'on aille « boire un café », mais j'avais promis à Mom de revenir immédiatement après. Dommage. Faudra vraiment se reprendre.

J'ai hâte de le revoir demain, on doit dîner ensemble.

Et le film ? Pas trop important, dans le fond. 😊

> Ça va jouer dur !

Lorsque Kim et moi sommes arrivées ce matin à l'école, nos pancartes super débiles *cool* sous le bras, il y avait des élèves de secondaire 5 qui distribuaient des bouteilles d'eau. Sur l'étiquette de la bouteille, il était inscrit : « Jimmy pour président ! »

- Oh, non... a fait Kim.

- Quoi ?

- Jimmy. Lui, je ne l'aime pas.

- Jimmy ? C'est qui ?

- Tout le monde connaît Jimmy, au moins de nom.

Elle a montré du doigt une grande maison à trois étages collée sur l'école.

- C'est là qu'il habite. Son père est riche. Était riche, en fait. Il est mort l'année dernière. Jimmy roule dans une super automobile. Tout le monde veut être son ami. C'est le pire de mes cauchemars qui se matérialise. Je n'ai aucune chance contre lui.

Sur l'étiquette on le voit en photo : il est en maillot de bain sur le bord d'une piscine intérieure et il a le pouce en l'air.

- C'est chez lui, a fait Kim quand elle a vu que je scrutais la photo.

À côté des élèves qui distribuaient les bouteilles d'eau, il y avait des dizaines de boîtes.

- Il n'a pas le droit de faire ça, j'ai dit. Ces bouteilles d'eau doivent coûter super cher. Il a dépassé les cinquante dollars permis.

- La campagne n'est pas encore commencée.

- Quoi?!

- Elle n'est pas encore commencée officiellement. Tant et aussi longtemps qu'on ne sait pas combien de personnes se présentent, il peut faire ce qu'il veut.

- Ce n'est pas juste!

J'étais vraiment en colère. À quoi sert d'avoir des règles si on peut les contourner?!

- Et en plus, ce n'est pas écologique! j'ai rajouté.

- Il s'en fout de l'écologie.

Si j'étais fâchée, Kim était, pour sa part, démolie.

- Je ne me présenterai pas, elle a dit en faisant la combinaison de son cadenas.

- Pourquoi?

- Parce que je ne peux pas gagner contre lui, c'est sûr.

- Ce n'est pas si sûr, j'ai dit. Est-ce que quelqu'un connaît ses idées? Qu'est-ce qu'il veut changer dans l'école? On ne peut pas acheter les gens comme ça.

- Oui, on peut. Ce matin, tous les élèves qui ne le connaissaient pas savent qui il est. Pas moi. Il a une longueur d'avance impossible à rattraper.

Elle était découragée et j'avoue que je la comprenais. Nos cinq petites pancartes et notre slogan génial faisaient dur comparé aux bouteilles d'eau « Jimmy pour président ! ». Tout le monde boit de l'eau. On permet même les bouteilles dans les cours. Même ceux qui n'en ont pas eu une vont en parler.

– Ce n'est pas impossible. Il reste encore deux semaines de campagne. On peut remonter la pente.

– Peut-être, a dit Kim.

Je me pose des questions sur le courage et la détermination de Kim. J'espère qu'elle ne va pas s'effondrer après chaque obstacle. Ça va drainer mon énergie de toujours lui remonter le moral. Elle sait beaucoup mieux que moi dans quoi elle s'est embarquée. Il y a deux mille élèves dans l'école. Est-ce qu'elle a imaginé qu'elle serait la seule à se présenter comme présidente du Comité étudiant ? Est-ce qu'elle va vraiment pouvoir supporter deux semaines de campagne ?

Dans le fond, c'est peut-être mon rôle de lui remonter le moral.

La cloche a sonné. Sans parler, on s'est rendues à notre cours de français.

– Qu'est-ce que tu vas faire ? je lui ai demandé quand on s'est assises à nos pupitres.

– Je ne sais pas.

Quand le prof a commencé à parler, j'ai penché ma tête vers elle et je lui ai dit :

– Quelle que soit ta décision, je vais t'appuyer.

Elle m'a fait un grand sourire.

Et là, je dois faire mes devoirs. La suite après le souper.

Publié le 12 septembre à 19 h 48 par Nam
Humeur : Toujours craintive

> On met les freins

Pendant la deuxième période, le directeur a annoncé à l'interphone que sept élèves avaient présenté leur candidature comme président du Comité étudiant. Il les a tous nommés. Kim a été la première. Puis, il y a eu les autres. Une fille en secondaire 3, deux gars en secondaire 4 et une fille et deux gars en secondaire 5. Sans surprise, Jimmy a été nommé.

Le directeur a ajouté qu'à moins de désistements dans la journée, les candidats allaient devoir recueillir cinquante noms pour être éligibles.

J'ai posé la question sans détour à Kim après le cours :

- Tu veux te désister ?

- Peut-être, elle a dit les yeux au sol.

- Tu ne devrais pas. Tu connais ceux qui se sont présentés ?

- Une seule des filles. Nathalie, en secondaire 3. Elle est vraiment *cool*, elle était la représentante de secondaire 2 l'année dernière. Même elle peut me planter. J'ai vraiment fait une gaffe.

Je l'ai prise par le bras et je lui ai demandé de me suivre. On est entrées dans une classe où il n'y avait personne. J'ai refermé la porte.

- OK, là, tu vas m'écouter, d'accord? Je suis prête à t'aider dans ta campagne, je suis prête à renoncer aussi si c'est ce que tu décides. Mais tu vas arrêter d'avoir peur de perdre? Parce que ça devient énervant, à la fin.

Kim ne s'attendait pas à ça. Elle était muette.

- Dis quelque chose, je lui ai demandé.

- Je... Je ne voulais pas t'écœurer avec mes états d'âme.

- Tu ne m'écœures pas. Mais prends une décision et vis avec. Et arrête de penser que tu n'y arriveras pas, je ne suis plus capable. Je peux aller au bout du monde avec toi, parce que t'es ma *best*. Mais à chaque pas que tu fais, arrête de regarder en arrière en te demandant si tu vas dans la bonne direction.

- Désolée, elle a dit.

Je ne m'en étais pas rendu compte, mais j'avais haussé le ton, comme si je la chicanais. 😳

- Ça va, j'ai dit en parlant moins fort.

- T'es fâchée contre moi.

J'ai souri.

- Non, non, pas du tout. C'est juste que je préférais t'en parler. Je suis comme ça, moi. Directe.

- Effectivement, elle a répondu. T'es assez directe merci. Mais c'est bien. On sait à quoi s'en tenir.

Je l'ai vue lentement s'avancer vers moi. Elle a posé un baiser sur ma joue.

- Je t'aime.

Elle a ajouté immédiatement :

- En amie.

- En amie, j'ai répété.

Il y a un malaise, je le sens. Et je l'ai senti encore plus quand je lui ai dit que j'allais manger avec Michaël. Elle m'a demandé :

- T'étais avec lui hier soir ?

J'ai eu ma leçon la dernière fois : mentir ne mène à rien.

- Oui. On est allés au cinéma.

- D'accord.

J'ai ramassé mon sac à dos que j'avais déposé sur le sol. Le cours allait bientôt commencer. Kim a poursuivi :

- Je l'ai vu hier soir, en avant de chez toi. Il est venu te chercher.

- Effectivement.

Je ne comprenais pas où elle voulait en venir. Ça n'a pas duré longtemps :

- Tu sors avec lui ?

- Non, non. On est amis.

- D'accord. Tu vas me le dire si tu sors avec ?

- Mais oui. T'es ma *best*.

Je lui ai fait un clin d'œil.

C'est clair que l'idée que je sorte avec Michaël la dérange. Mais est-ce parce qu'elle m'aime ou est-ce parce qu'elle craint d'être mise de côté? 😐

Les élèves commençaient à entrer dans la classe. Je me suis retournée pour sortir quand Kim a pris mon bras.

- Nam?

- Oui?

- Je... Je suis heureuse que tu sois ma *best*. Et... Et je vais me désister. C'est trop pour moi. Je ne suis pas prête. Pas cette année. L'année prochaine.

- Très bien. L'année prochaine, je serai ta directrice de campagne ou quelque chose du genre.

On n'a pas beaucoup parlé pendant le reste de la journée. On n'était pas en chicane, c'est juste qu'on n'avait rien à se dire. Elle était triste d'avoir abandonné et c'est normal. C'était un beau projet.

Et mon dîner avec Michaël? Super. Il est vraiment *cool*. On a mangé dehors. Il y a un parc, on s'est assis sur un banc et on a parlé de plein de trucs. D'ailleurs, je *tchatte* avec lui présentement.

Kim n'est pas en ligne. Je vais l'appeler pour savoir comment elle va.

Publié le 13 septembre à 17 h 08 par Nam
Humeur : Énervée

> **On fonce!**

Kim m'a fait toute une surprise aujourd'hui. La coquinette !

À l'arrêt d'autobus ce matin, elle avait l'air *full* déprimée. Je lui ai demandé si elle regrettait sa décision, elle m'a dit « peut-être », mais a ajouté que de toute façon, c'était sûr qu'elle allait perdre.

- La seule chose dont on est sûres, j'ai dit, c'est qu'on va mourir un jour.

C'est Grand-Papi qui dit ça.

- Ouais, eh bien moi, je suis sûre de mourir et de perdre, a dit Kim.

J'ai essayé de lui faire changer d'idée. Je voulais lui parler de Michaël, mais je sentais que ça allait la faire suer. Alors je me suis abstenue.

Pendant la première période, le directeur a demandé l'attention des élèves à l'interphone. Kim a posé son front sur son bureau. Le directeur a annoncé que quatre candidats s'étaient désistés. Il les a nommés. Mais pas de Kim. Il m'a fallu quelques secondes pour comprendre qu'elle restait dans la course ! 🙂 Je lui ai fait des yeux de hibou et elle m'a souri. J'ai levé mon pouce en l'air.

- *Cool!* j'ai murmuré.

Parce qu'il y avait moins de cinq noms, pas besoin de cinquante signatures. Le directeur a demandé aux candidats de se présenter au secrétariat pour y recueillir des informations.

Bref, on est en campagne électorale !

Le prof de français a félicité Kim devant tout le monde, même la classe l'a applaudie. Et après le cours, plein d'élèves sont venus la féliciter et quelques-uns lui ont demandé s'ils pouvaient participer d'une manière ou d'une autre. J'ai noté les noms, je dois les appeler ce soir.

Ce qui est moins *cool*, cependant, c'est qu'Alex continue à raconter des cochonneries sur mon compte. Paraît que j'ai même un surnom : « Namastide la frigide ». Les gars trouvent ça vraiment drôle. Eh bien, pas moi ! Vraiment pas. Une fille de ma classe a dit que je manquais d'humour. Je suis capable de rire de moi. Mais cette imbécillité, je ne la trouve pas amusante. C'est très réglisse noire. J'y pense et je sens mon sang bouillir dans mes veines. Je vais donner un avertissement à Alex. Et s'il continue, eh bien... Eh bien, je vais en parler à mon frère. 😎 Il va aller lui péter la gueule en mille morceaux. Ah ! Ah !

Non, je n'ai pas besoin de mon frère. Je peux régler ça toute seule.

Je vais manger. Ça sent la soupe aux légumes dans la maison.

Publié le 13 septembre à 20 h 46 par Nam
Humeur : Contrariée

> Il ne veut rien entendre

Je viens de parler avec Alex. Je décrète que c'est le père de toutes les réglisses noires. Bref, il est vraiment con.

Il m'a bloquée dans Messager, il a fallu que je me crée une nouvelle adresse pour pouvoir lui parler.

Il a nié qu'il m'avait bloquée, il a prétendu que son ordi boguait. Ouais, ouais. Me semble !

Copier-coller de la conversation.

* * *

Nam - Votez pour Kim ! : T'arrêtes de m'insulter, d'accord ?

Al3x {Ô secour la fr1g1de !} : Capote pas.

Nam - Votez pour Kim ! : Je vais capoter si je veux capoter. T'es pas irrésistible. Ce n'est pas parce que je ne sors pas avec toi que je suis frigide. Je choisis avec soin mes amoureux. Donc tu dis à tes crétins d'amis de vieillir un peu, d'accord ?

Al3x {Ô secour la fr1g1de !} : Son pas crétin.

Nam - Votez pour Kim! : C'est fou à quel point tu fais des erreurs. T'écris comme un pied!

Al3x {Ô secour la fr1g1de!} : Je fais pas tant de fotes.

Nam - Votez pour Kim! : Deux fautes dans une phrase de six mots! Comment t'as fait pour te rendre au secondaire? Tu t'exprimes comme un débile.

* * *

Et là il m'a bloquée de nouveau. Pas grave, je suis sûre que le message a passé. Seul à seule, il est doux comme un agneau. Mais quand il est avec sa gang d'amis orthos, son quotient intellectuel diminue de moitié. Au naturel, il n'est déjà pas élevé, alors si on en enlève la demie, il agit comme un têtard gluant. Dire que l'idée de sortir avec lui m'a effleuré l'esprit.

J'ai appelé les personnes qui veulent s'investir dans la campagne électorale de Kim. Je ne sais pas encore ce que je vais leur demander, mais c'est sûr que je vais avoir besoin d'eux. Faudra aussi que je dégote des gens d'autres niveaux. Tiens, tiens, je vais demander à Michaël de nous aider. Il ne pourra pas me refuser ça. Hé, hé... Y'a aussi mon frère et Tintin qui pourraient collaborer. Quoique...

Pendant l'heure du dîner, Kim et moi sommes allées au secrétariat pour récupérer toute la paperasse. Je ne savais pas, mais on va même avoir un local pour notre « parti ». Avant de quitter l'école, on est allées placer les affiches qu'on a fabriquées avant-hier aux endroits où on a le droit. Vraiment belles ! On a bien travaillé.

Ce qu'il reste à faire (ce qui me vient à l'esprit) :

* Préparer des tracts avec nos promesses. Une des filles de la classe est bonne en infographie, elle va pouvoir faire le montage.

* Trouver les promesses !

* Trouver des manières pour se démarquer, des trucs qui ne coûtent rien, mais qui frappent l'imagination.

* Écrire le discours et le faire répéter à Kim.

* Soutenir moralement Kim.

Elle est heureuse d'avoir accepté le défi, mais elle est nerveuse aussi. Depuis hier, il me semble que tous les gens qu'on croise ont la bouteille d'eau de Jimmy à la main. Et comme il y a une campagne de recyclage intensive à l'école, personne ne la jette. Quand elle est vide, l'élève la remplit, au moins trois fois par jour parce qu'il fait super chaud et humide dehors. Et la climatisation de l'école est défectueuse.

Ce Jimmy a eu une super bonne idée. 😕 Je l'ai d'ailleurs croisé dans le corridor. Il m'a souri. J'te gage que s'il n'avait pas été en campagne, il m'aurait ignorée. Je dois reconnaître qu'il a du charme. Il « dégage » quelque chose. Il y a un truc qui me dérange chez lui : il porte des verres de contact d'une autre couleur que celle de ses yeux. Ses yeux sont bleus, ses lentilles mauves, ce qui lui donne des airs d'extraterrestre. Ça dit quelque chose sur lui, non ? Quand on veut voir si quelqu'un est vraiment honnête, y'a rien de mieux que de le regarder dans les yeux. Sur Messager ou au téléphone, on peut mentir assez facilement. Mais quand on est devant quelqu'un, c'est plus difficile. Cacher ses yeux, c'est peut-être cacher ses véritables intentions. J'ai lu quelque part que les yeux sont le miroir de l'âme. Porter des verres de contact colorés, c'est mettre des rideaux sur son âme. Il n'est pas net, ce mec !

Ça me fait penser, l'année dernière, il y avait une fille qui avait des verres de contact simulant les yeux d'un chat. C'était super biz. Il a fallu qu'elle arrête de les porter à cause d'une infection que lui causaient ses lentilles. De toute façon, c'est débile comme mode.

Kim aussi a du charme. Même qu'elle a du charisme. Elle n'a pas besoin de faux yeux pour impressionner.

Nous vaincrons !

Publié le 14 septembre à 10 h 13 par Nam
Humeur : Appréhensive

> J'ai pété les plombs

C'est le cours de français. On est à la bibliothèque. Comme j'ai terminé ma recherche, j'ai demandé au prof la permission d'utiliser l'ordi pour écrire. Il a dit oui. Il est sévère, mais *cool*. Mais bon, quel prof de français voudrait interdire à son élève d'*écrire*?!

J'ai passé la moitié du cours qui précède dans le bureau du directeur. Et c'était mérité, parce que je me suis fâchée durant le cours d'éduc. Je suis habituellement assez calme, mais cette histoire de « Namastide la frigide », je n'en peux plus. Et j'étais plutôt de mauvaise humeur parce que Jimmy-aux-yeux-de-E.T. nous a réservé encore une surprise ce matin.

Il y avait un cheval sur le terrain de l'école! Un cheval! Et Jimmy était monté dessus, parce que « fait pour être un général ». Il était déguisé comme un cavalier du 18e siècle ou quelque chose du genre, avec une épée et un habit rempli de médailles.

- Là, il vient de crever son budget de 50 $, a dit Kim.

- Ça ne coûte pas 50 $, ça ! Il est fou.

Les fesses du cheval étaient recouvertes d'un tissus qui disait que c'était une commandite de la « Ferme du cheval pouilleux, spécialisée dans les reconstitutions médiévales ».

J'ai montré du doigt l'inscription :

- Cela ne lui a rien coûté, c'est une commandite. On a droit à ça ?

- Je ne sais pas, mais je vais en discuter avec le directeur. Ce n'est pas ça, une campagne électorale. Ses idées, elles sont où ?

Étonnamment, Kim n'a pas paniqué et il n'a pas fallu que je lui remonte le moral. Elle est restée très zen. Faut dire qu'il est arrivé deux accidents peu après qui nous ont consolées.

Le premier est que le cheval a fait ses besoins sur le terrain de l'école. Je n'avais jamais vu ça de ma vie, je peux dire que c'est assez impressionnant. Les gens ont été super dégoûtés et il y a même une fille qui en a reçu une tonne sur le pied. Ce n'était pas drôle et drôle en même temps. Il y a des filles qui sont parties à courir en criant comme si une bombe venait d'exploser ou qu'elles étaient attaquées par des vaisseaux spatiaux armés de lasers qui vaporisent les vêtements.

Le type qui accompagnait Michaël, un gros moustachu au chapeau de paille, a dit que le cheval était « un peu nerveux ». Il a lâché la bride et avec une pelle et un seau, il est allé ramasser le dégât. Pendant ce temps, une auto au silencieux défoncé a pénétré dans le stationnement. L'élève qui était au volant a fait crisser ses pneus et le cheval s'est énervé. Il s'est mis sur ses deux pattes arrière et a catapulté Jimmy loin derrière. Le pauvre, il est tombé sur les fesses. Il aurait pu se faire très mal, mais il s'est relevé rapidement. Son épée, qui donnait l'impression d'être vraie, était pliée en deux. On a compris qu'elle était en plastique, un truc qu'on achète au magasin à un dollar. Il l'avait recouverte de papier d'aluminium. Jimmy a fait comme si ces incidents étaient voulus, mais ce n'était pas très crédible. Les élèves sont entrés dans l'école. On a croisé le directeur qui n'avait pas l'air content.

Moi non plus je n'étais pas contente. Ce sera quoi le prochain spectacle de Jimmy? Engager des clowns qui font des animaux en ballon? Propulser un dirigeable lançant des boissons énergisantes avec des petits parachutes au-dessus de l'école? OK, il a hérité de plein d'argent, mais est-ce une raison pour écœurer le peuple avec ça?! Ça me fâche parce qu'il ne joue pas dans la même ligue que nous. S'il gagne (IL NE GAGNERA PAS!), il n'aura aucun mérite parce qu'il n'aura pas mené une lutte à armes égales.

Si Kim voulait vraiment se faire remarquer, elle irait en bikini à l'école. Mais bon... Pas sûre que ce soit permis dans les règlements. Pas sûre non plus qu'on ait le droit d'apporter un cheval aux intestins « émotifs ».

La période est bientôt terminée. Tout ça pour dire que pendant le cours d'éduc, quatre gars de la classe, y compris Alex, ont commencé à me narguer avec « Namastide la frigide ». On jouait au badminton et j'ai ramassé un volant qui a atterri sur mon terrain. C'est Alex qui est venu le chercher. Et... Ahhhh! La cloche vient de sonner!

Beau collier, Alex

Namxox

Publié le 14 septembre à 16 h 52 par Nam
Humeur : Soulagée

> Il a du toupet

Je le savais que le directeur allait appeler à la maison. Deuxième fois qu'il parle à ma mère. Première fois à cause de l'histoire de mon « rat géant » qui s'était sauvé dans l'école le jour de l'inscription. Deuxième fois aujourd'hui. Et il n'y a même pas deux semaines que l'école est commencée ! Il a laissé ce message sur le répondeur :

« (Bla, bla, bla.) L'élève Namasté semble avoir de la colère en elle. Toutefois, je comprends qu'elle ait agi de la sorte. Nous avons des professionnels qui pourraient probablement lui venir en aide. Vous pourriez lui en glisser mot. (Bla, bla, bla.) Il va sans dire que l'élève Namasté devra rembourser la raquette brisée. (Bla, bla, bla.) »

À ses yeux, je dois être une super cinglée. 😊 Je n'ai pas besoin de professionnels ! J'ai juste besoin qu'on me fiche la paix ! 😲

Pendant un instant, j'ai eu le goût d'effacer le message et de faire comme si de rien n'était. Mais bon, je me suis dit qu'avec la chance que j'ai, Mom va l'apprendre de toute façon.

Alors. On était en éduc. Je jouais au badminton avec Kim. Je suis la plus poche des poches, mais bon, on riait beaucoup. Un volant atterrit sur mon terrain. Je le ramasse. Je vois que c'est celui d'Alex. Au lieu de le lui entrer de force dans une narine, je fais ma gentille fille et je le lui remets. Et là, quand je croise ses yeux, je me rends compte qu'il a fait exprès d'envoyer son moineau dans ma direction. Il me dit :

- Merci, Frigide.

Et j'entends ses amis rire. Et je vois rouge.

Je lui ai foutu un coup de raquette sur la tête. Genre un gros coup. Assez pour que les cordages se rompent sur sa tête. Il avait le cadre autour du cou, comme si c'était un collier vraiment trop gros (et laid). Et pour une raison qui m'échappe, il n'était pas capable de la retirer. Toute la classe riait de lui, même la prof. Il a fallu qu'il se rende au local de Killer, le concierge géant, pour faire couper la raquette.

J'ai super bien visé (pour une fois !), Alex n'a pas été blessé. Sauf à son orgueil. 😵 Même ses amis crétins se bidonnaient.

Je suis allée terminer la période dans le bureau du directeur pour cette « agression regrettable ». Avant de partir, Kim m'a fait un clin d'œil et elle m'a dit que ce n'était pas bon de donner des coups de raquette de badminton à nos électeurs.

Le directeur, que tout le monde surnomme Monsieur M. (aucune idée pourquoi), a été assez *cool* avec moi. Il m'a laissé m'exprimer. Je lui ai tout raconté en pleurant un peu. Je n'ai pas eu à me forcer, c'est venu tout seul, comme si j'étais dans un match d'impro. J'ai juste eu besoin d'imaginer un oisillon dans son nid, la gueule ouverte, qui a faim. Et qui fait pitié. Et j'avoue, je me suis dit que ça ne pouvait pas nuire à ma cause.

Monsieur M. a fait venir Alex à son bureau. Il lui a demandé de donner sa version des faits. Le lâche, il n'a pas parlé de cette histoire de « Namastide la frigide »! Il a raconté au directeur qu'il jouait tranquillement au badminton quand son moineau a atterri sur mon terrain par accident. Et parce qu'il m'avait déconcentrée, je m'étais fâchée et je lui avais donné un coup de raquette. Fin de l'histoire.

Il voulait me faire passer pour une folle! Ce que je suis probablement, mais je me contrôle. En tout cas, je n'ai pas la tête assez pétée pour agresser le premier venu avec une raquette de badminton! Franchement!

Le directeur lui a parlé de cette histoire de « Namastide la frigide ». Au début, il a nié, j'ai protesté. Le directeur m'a fait signe de me taire. Il a insisté et Alex a avoué qu'il avait « peut-être » inventé cette stupidité. Et qu'il l'avait « peut-être » répétée à ses amis.

Monsieur M. lui a dit que ce n'était pas très mature de sa part et qu'il devait apprendre la galanterie s'il ne voulait pas passer pour un con toute sa vie. Il lui a vraiment dit ça!

Quand Alex est parti, Monsieur M. m'a avoué qu'il aurait fait la même chose à ma place. Il a ajouté que j'allais devoir payer la raquette et qu'il allait téléphoner à mes parents. Je m'en suis quand même bien tirée.

J'ai encore plein de choses à écrire, mais Mom vient de m'appeler pour souper.

Publié le 14 septembre à 20 h 58 par Nam
Humeur : Tracassée

> **Il ne va pas mieux**

H'aïme continue de se lécher. Et c'est rendu grave, des plaies se sont infectées. Grand-Papi a pris rendez-vous chez le vétérinaire demain. J'espère qu'il va trouver une solution. Je l'aime mon petit renardeau d'amour. Savoir qu'il souffre m'attriste. 🙁

Pendant le souper, j'ai dit que je ne comprenais pas pourquoi il était nerveux. C'est mieux que dans la nature, ici! C'est vrai, il mange à sa faim, il dort quand il veut, il a plein de câlins, il joue avec Youki et il n'a aucun prédateur. Qu'est-ce qu'il lui faut de plus pour être heureux? Qu'on lui fasse une manucure une fois par jour?! Les chiens sont contents, eux, non?

Val, la blonde de Grand-Papi, qui soupait avec nous, m'a expliqué que les chiens vivent avec les humains depuis des milliers d'années. Ils sont habitués d'être avec nous. C'est inscrit dans leurs gènes. Tandis que les renards, non. Ils ont besoin d'être libres, de suivre leurs instincts, même si c'est plus dangereux que de vivre dans un bungalow sur une base militaire. On verra bien ce que le vétérinaire va dire demain. Je me croise les doigts. Et les orteils.

Bon, je continue à raconter ma journée.

Après l'incident de la raquette, étrangement, je ne me suis plus fait écœurer du tout. Genre, dès que je croisais le regard d'Alex, il baissait les yeux. Idem pour ses amis. Quand j'étais chez Monsieur M., Kim les a entendus dire que j'étais « folle » et qu'il valait mieux ne pas m'approcher. Hé, hé...

Je suis vraiment contre la violence. Je crois que les animaux l'utilisent pour se faire comprendre, mais les humains ne devraient pas parce qu'on peut parler sans s'arracher la tête. Mais, bon... Je dois avouer que ça a donné de bons résultats. Chaque fois que quelqu'un va me contrarier, PAF !, un coup de raquette de badminton sur la tête va régler le problème. C'est peut-être ça, la solution universelle !

Pendant que j'étais dans le bureau de Monsieur M., en tant que directrice de la campagne de Kim, je me suis permis de lui parler de Jimmy et de ses tactiques poches. Il m'a dit qu'il allait l'avoir à l'œil et qu'il voulait une campagne « propre ». Et la pelouse de l'école en fait partie.

À midi, Kim et moi sommes allées chercher les clés du local qu'on nous prête durant la campagne électorale. Les deux autres candidats, Jimmy et Nathalie, y étaient aussi.

Qui accompagnait Jimmy comme directeur de sa campagne ? La grande girafe qui initiait les nouveaux vendredi dernier ! J'ai été surprise de le voir là. Lui aussi, d'ailleurs. Et là, je me suis demandé si je devais le dénoncer. Et il a vu dans mes yeux que je me posais cette question. Et il a eu peur que je m'ouvre la trappe. Et je ne l'ai pas fait. Est-ce que j'aurais dû ? Je ne sais pas.

(...)

Je viens de parler de l'incident de la raquette avec Mom. Je lui ai expliqué ce qui s'était passé et elle a compris. Va juste falloir que je paie la raquette. Elle va faire un chèque (50 $) et je vais la rembourser. Ouch ! Bon, supposons que je lui donne un sou par semaine, je devrais avoir terminé avant mes 35 ans. ☺

Je racontais quoi déjà ? Ah oui. La grande échalote. Il faisait comme s'il ne m'avait jamais vue de sa vie. Peureux !

J'ai officiellement fait la rencontre des deux candidats. Kim avait raison, Nathalie est vraiment gentille. Elle a un super beau sourire et c'est une fille qui a l'air heureuse. Elle nous a souhaité bonne chance.

Jimmy, c'est autre chose. Je déteste ce gars. Je ne suis pas capable de le sentir. Il a dit à Kim et à Nathalie que si elles étaient plus vieilles, elles auraient compris rapidement qu'elles n'avaient aucune chance. Après, il est parti à rire, comme si ce qu'il venait de dire était une blague, mais il le pensait vraiment, c'était évident. Kim a voulu lui donner la main, mais il a fait comme si elle n'existait pas. Idem pour Nathalie. Le mot parfait pour le désigner est « arrogant », avec ses yeux de Martien. Il est comme trop sûr de gagner.

Ouf, il est tard. Je ne vois pas le temps passer quand j'écris.

Grosse journée demain. On doit s'occuper du local et rédiger notre programme. Et accessoirement se concentrer pendant les cours!

Adieu
renardeau

Nomxox

Publié le 15 septembre à 17 h 12 par Nam
Humeur : Peinée

> **Il doit partir**

Je pleure depuis que je suis de retour à la maison. Grand-Papi va porter H'aïmé dans une ferme. Celle qu'il avait trouvée quand Mom ne voulait pas du renardeau. J'ai le cœur brisé. 😖

Le vétérinaire a été clair : un renard ne peut pas vivre dans une maison. Il doit regagner son milieu naturel. Il doit chasser pour se nourrir et vivre dans un terrier. C'est pour ça qu'il se léchait comme un malade. Il était anxieux.

Grand-Papi m'a demandé si je voulais l'accompagner. J'ai dit non, mais je viens de changer d'idée.

On part dans deux minutes.

Publié le 15 septembre à 21 h 32 par Nam
Humeur : Chagrinée

> **Il va me manquer**

Michaël vient de partir. Il a passé la soirée avec moi. Ce gars-là est tellement gentil. Avant d'aller porter H'aïme à la ferme, je lui ai dit sur Messager que je ne me sentais pas bien. Il m'a demandé si je voulais qu'il vienne avec nous. J'ai dit oui et genre cinq minutes plus tard, il était là.

Avec le renardeau, ça s'est bien passé. La dame va l'habituer graduellement à la nature et dans quelques jours, elle devrait pouvoir le relâcher. Là-bas, il va être bien traité. Ça me fait juste mal de penser que je ne le reverrai plus jamais. ☹ C'est pour son bien, c'est ce que je me dis.

Michaël a soupé à la maison. Mes parents lui ont posé plein de questions, à la limite du harcèlement. Genre, ce que font ses parents, ce que lui veut faire dans la vie, ses hobbies, son groupe sanguin, enfin presque. Il n'avait pas le temps de terminer sa bouchée, il était bombardé.

Après le repas, il a demandé à Mom s'il pouvait me « kidnapper » pour une heure. Habituellement, elle ne veut pas que je sorte les soirs de semaine parce que j'ai de l'école le lendemain. Elle a hésité un peu et... elle a dit oui ! Avant de partir, Pop m'a demandé de le suivre dans la salle de bains parce qu'il voulait me parler. Il m'a prêté son cellulaire, « au cas où ». Au cas où il se passerait quoi ?! Pop est biz.

Michaël m'a amenée pas loin de la maison, dans un champ. Nous nous sommes assis sur le capot de son automobile et on a observé le ciel. Il m'a dit que lorsqu'il n'allait pas bien, il faisait ça. Ça lui permettait de réaliser que ses problèmes sont minuscules en comparaison de l'immensité de l'univers. Il m'a appris que certaines des étoiles que l'on voit dans le ciel sont mortes depuis longtemps. Leur lumière prend des millions d'années avant de nous parvenir.

Il a mis sa main dans la mienne et m'a déclaré qu'il était bien avec moi. Sa main était douce et chaude.

À un moment donné, on a tous les deux vu une étoile filante. La première de ma vie ! Il m'a suggéré de faire un vœu. Je ne peux pas le répéter, mais ça a rapport avec lui.

- C'est sûrement une poussière qui est entrée dans l'atmosphère et qui s'est enflammée, il m'a dit. T'imagines ? Une poussière qui fait cette lumière.

On a été dérangés deux fois par le téléphone cellulaire. La première fois, Pop voulait savoir si tout allait bien. Voyons !?

- Oui, ça va.

- D'accord. T'appelles s'il y a quelque chose.

Et genre quinze minutes plus tard, le téléphone nous a dérangés de nouveau. C'était encore Pop. Quand j'ai répondu, il s'est excusé et m'a dit qu'il avait composé le mauvais numéro. Me semble.

- Wow! Il est intense, ton père.

- Habituellement non. Je ne sais pas trop ce qui se passe. Peut-être parce que t'es plus vieux que moi.

- Il a peur que je te dévore.

- Ouais, peut-être.

- Pas de chance, ce n'est pas la pleine lune. Ce n'est pas le soir où je me transforme en loup-garou.

En rentrant à la maison, Pop est venu me voir. Et il me semble l'avoir entendu me sentir. 😮 Genre, des reniflements pas subtils.

Je ne le reconnais plus!

J'avais d'autres choses à écrire, mais je dois me coucher. Si je veux que Mom me laisse sortir encore les soirs de semaine, je dois être sage. En tout cas, je n'aurai pas de mal à m'endormir. J'ai plein de belles images dans la tête.

Publié le 16 septembre à 4 h 03 par Nam
Humeur : Ébranlée

> Il vient de se passer quelque chose de vraiment *weird*

OK. Je viens de vivre une expérience. Je pense que je vais m'en souvenir le reste de ma vie !

À 3 h, je me suis réveillée parce que j'ai entendu un bruit à ma fenêtre. Pendant une seconde ou deux, j'ai pensé que c'était un voleur, ou pire, un violeur ! Non, c'était... Kim !

Dès que je me suis assurée que j'étais en sécurité, je me suis approchée de la fenêtre.

- Kim ? Qu'est-ce qui se passe ?

Elle était en t-shirt et en short. Pieds nus.

- Il faut que je te parle.

- T'as vu l'heure ?!

(Question stupide, c'est sûr qu'elle a vu l'heure.)

- Je sais. Mais je dois vraiment te parler.

J'avais encore un voile de sommeil devant les yeux. J'avais du mal à croire que Kim m'avait réveillée pour parler avec moi à 3 h du mat alors qu'on allait se voir à l'arrêt d'autobus dans quelques heures. Il devait se passer quelque chose de vraiment grave. Genre un accident ou une mort inattendue. Je me suis ravisée, ce n'était certainement pas le cas, sinon elle aurait été en larmes, non ?

- Entre. Mais ne fais pas de bruit.

J'ai ouvert toute grande ma fenêtre et j'ai retiré la moustiquaire. Kim a approché la poubelle. Elle l'a retournée et a grimpé dessus pour atteindre la fenêtre. Je l'ai aidée à entrer.

- Qu'est-ce qui se passe ? j'ai demandé en chuchotant.

Kim s'est assise sur mon lit. Puis, elle m'a demandé :

- Michaël, qu'est-ce qu'il représente pour toi ?

- Michaël ? Tu me réveilles pour me poser cette question ?

- Je vous ai vus sortir de la maison, tantôt.

Le peu de sommeil que j'avais dans les yeux s'est évaporé. Je me suis assise à ses côtés.

- Kim, qu'est-ce qui se passe ?

Il y a eu un silence. Elle regardait les corps morts (mes vêtements sales) qui jonchaient le sol. Comme si elle se demandait s'ils pourraient lui servir de bouée de sauvetage.

- Kim, j'ai fini par dire, qu'est-ce qui se passe ? Tu peux tout me dire.

Elle a levé la tête. Elle avait des larmes dans les yeux.

- Tout ?

- Mais oui. Je suis ta *best*.

- Namasté...

Elle ne m'avait jamais appelée comme ça. C'était toujours Nam.

- Namasté... elle a dit une autre fois. Je t'aime.

J'avoue que j'ai fait comme si de rien n'était, pour me laisser le temps de réfléchir au comportement que je devais adopter. Je ne m'étais pas encore arrêtée à cette question.

- Moi aussi, je t'aime. Pourquoi pleures-tu?

- Non, Namasté. Je suis amoureuse de toi.

Même si je m'en doutais pas mal, j'ai été ébranlée quand je l'ai entendue me l'avouer. J'avais encore un doute dans mon esprit. Elle venait de le détruire à la mitraillette.

Voir ma *best* dans cet état à cause de moi m'attristait.

- Amoureuse? Oh, Kim.

- J'ai mal, elle a dit. Ça me fend le cœur de te voir avec lui. Je suis jalouse. Je voudrais que ce soit moi que tu aimes.

- Kim... J'aime les gars. Mais toi aussi, je t'aime. Mais pas *comme ça*.

Elle a baissé la tête et a été secouée de sanglots. Je lui ai caressé le dos.

- Kim...

Et là, sans avertissement, elle a relevé la tête et a plaqué ses lèvres sur les miennes. 😳 Et on s'est embrassées. Avec la langue. Un *french*, un vrai. Ce n'était pas dégoûtant, c'était même assez agréable. Mais Kim, c'est ma *best*. Ce n'est pas Michaël. C'était donc *full* bizarre.

Combien de temps le baiser a-t-il duré ? Je ne sais pas. Cinq secondes ? Dix ? Aucune idée. Ses lèvres étaient très douces et elle m'embrassait délicatement. J'ai gardé les yeux ouverts, parce que c'était trop étrange. Une drôle de sensation. J'ai déjà *frenché*, mais jamais une fille !

Dès que ses lèvres se sont détachées des miennes, immédiatement, elle s'est excusée.

- Désolée. Je voulais tellement t'embrasser.

Comme si elle venait de les enduire avec de la colle contact, mes lèvres sont restées collées, je suis demeurée silencieuse. Kim a posé ses coudes sur ses genoux et sa tête dans la paume de ses mains.

- Namasté, j'ai tellement mal quand je te vois avec.

- Je... Je ne sais pas quoi te dire.

- Ne dis rien. J'ai compris.

Elle s'est levée et a passé ses jambes dans le cadre de la fenêtre. Et sans rien dire, elle est retournée chez elle.

Et depuis une heure à peu près, je suis assise dans mon lit et je pense. À rien et à tout en même temps.

Je vais essayer de dormir.

Publié le 16 septembre à 17 h 32 par Nam
Humeur : Déroutée

> S'est-il vraiment passé quelque chose?

Incroyable, je n'étais pas morte de fatigue ce matin. Mais en rentrant à la maison tantôt, je me suis sentie épuisée. Je viens de faire une sieste qui m'a remise sur le piton. La journée n'a pas été de tout repos.

Ce matin, à l'arrêt d'autobus, Kim n'était pas là. C'est sa mère qui est allée la reconduire à l'école parce qu'elle s'est réveillée en retard. Je me demande bien pourquoi. 😳

Elle était vraiment de bonne humeur et elle a agi avec moi comme si absolument rien ne s'était passé cette nuit. Je ne sais plus trop ce que je lui ai dit, mais il faut qu'on s'explique, non? Des choses à mettre au clair. Est-ce qu'elle a compris que ce sont les gars que j'aime? Qu'entre elle et moi, c'est un amour impossible? J'ai pensé à ce qui s'est passé et elle doit comprendre qu'elle n'a aucune chance. Oui, on s'est embrassées. Mais j'ai pensé à tout cela (je me suis endormie à 5 h 30!) et ce serait super chien si je laissais à Kim un espoir qu'on sorte ensemble. Je ne suis pas lesbienne. Je le sais parce que ce sont les gars qui m'attirent. Pas les filles. Je peux en trouver une belle, mais ça finit là. Les gars, quand ils sont beaux, ça va plus loin. J'ai le goût de les toucher et j'ai le goût qu'ils me touchent. 😊

Kim a parlé beaucoup pendant la journée. Je crois qu'elle ne pouvait pas supporter le silence entre nous. On a travaillé fort à la campagne électorale. Il ne reste qu'une semaine! Et on n'a pas fait grand-chose. Sauf ce midi. Hé, hé... J'y reviendrai.

Kim a dit que ce n'était pas catastrophique. Nos pancartes sont bien en vue, les gens commencent à reconnaître Kim. Il va falloir vraiment y aller à fond, disons mercredi, jeudi et vendredi prochains. Là, on va mettre le paquet. Sinon, les gens vont être écœurés. Ce que Jimmy a commencé à faire, d'ailleurs. Il veut trop gagner et j'ai entendu des gens dire qu'il était fatigant, ce qui est très bien pour nous. Aujourd'hui, à l'heure du dîner, il est entré dans le local de la radio étudiante, radio qu'on entend aussi à la caf. Ce n'était pas prévu, mais il s'est emparé du micro et il a invité les élèves à voter pour lui. C'était clair que l'animateur était un de ses supporteurs parce que dans la demi-heure qui a suivi, il n'a pas arrêté de dire que Jimmy est bon, qu'il est beau et qu'il a des yeux bizarres. Ah! Ah! Nan, pas les yeux. Une entrevue à la radio étudiante est prévue pour nous mercredi de la semaine prochaine.

Je dînais avec Kim et notre équipe quand Jimmy a pris la parole. Kim ne s'est pas laissé impressionner. Quand il a terminé, au moment où j'allais lui demander ce qu'elle pensait de ce qu'il venait de dire, elle est montée sur la table et a demandé à tous les élèves qui étaient dans la cafétéria de l'écouter. Tout le monde s'est tu! Elle a mis ses mains en porte-voix et elle s'est nommée. Elle a dit que la semaine prochaine, elle allait leur présenter son programme (qu'on n'a pas encore écrit!) et qu'elle allait les convaincre que c'est pour elle qu'ils doivent voter. Quand elle s'est assise, il y a des élèves qui ont sifflé et qui l'ont applaudie! Wow! Elle a du courage. Je ne serais jamais capable de faire un truc comme ça. Je fais de l'impro, je monte sur scène, mais je joue un rôle. Je ne suis pas vraiment moi. Kim, elle, joue son propre rôle. C'est très différent.

J'avoue que j'avais eu des doutes sur ses capacités. Plus maintenant. Elle est tout à fait à l'aise devant les gens. Tout de suite après, je lui ai demandé :

- Ça ne te rend pas nerveuse?

- De quoi?

- De parler devant tout le monde, comme ça?

- Non, j'ai un truc.

- Lequel?

- J'agis sans penser. Sur un coup de tête. Comme ça, pas le temps d'avoir le trac.

Fallait y penser! 😊 Est-ce la même chose qu'elle a fait avec moi la nuit dernière? Agir sans penser?

Après le dîner, on est allées au local de la campagne. Il y avait quelques personnes qui nous attendaient, dont la fille que les gars voulaient initier la semaine dernière. Elle veut nous aider! Super *cool!* On a quelqu'un en secondaire 3 et en secondaire 5 (mon frère et Tintin). Il manque secondaire 4, je vais demander à Michaël tantôt. Il ne pourra pas me refuser ça.

Un peu avant la début de la première période de l'après-midi...

Ahhhh! Je vais manger.

Une soirée comme
je les aime

Namxox

Publié le **16** septembre à **22** h **21** par Nam
Humeur : Intriguée

> Ça fait POP! dans la tête de Pop

J'ai passé la soirée avec Kim et Michaël. Ils sont venus à la maison, on a regardé un film d'horreur (yé!). Il y avait aussi Tintin et mon frère. Et Grand-papi et sa blonde, qui sont partis après cinq minutes parce qu'ils trouvaient ça dégoûtant. Petites natures!

Après le souper, alors que je *tchattais* avec Kim et Michaël, je m'étais dit que ce serait une bonne idée de les réunir. Montrer à Kim que c'est ma *best*, que je n'ai vraiment pas l'intention de l'abandonner et, en même temps, lui permettre de voir que Michaël fait faire des boum boum à mon cœur.

Avant, pour ne pas la brusquer, j'avais demandé à Kim si ça la dérangeait. On dirait que je l'ai un peu surprise.

K1m - VOTEZ POUR MOI VENDREDI PROCHAIN!: Pourquoi tu me demandes la permission?

N@m : Je voulais juste savoir si c'était correct pour toi. Si t'es à l'aise.

K1m - VOTEZ POUR MOI VENDREDI PROCHAIN!: Voyons, Nam. C'est ta maison, t'invites qui tu veux!

N@m : Je sais.

K1m - VOTEZ POUR MOI VENDREDI PROCHAIN ! :
J'arrive.

Elle a agi comme s'il ne s'était rien passé entre nous. Ça me trouble plus qu'elle, il faut croire. Je voulais bien faire en lui demandant si elle allait accepter la présence de Michaël.

Le film était correct. Beaucoup de sang et d'organes internes qui jaillissent. L'histoire était débile, comme toujours, mais bon.

J'étais assise entre Kim et Michaël. Pop est venu nous apporter du popcorn. Autre comportement étrange de mon père. C'est un truc de Mom, prendre soin des invités. Je crois qu'il voulait s'assurer que Michaël agissait en « gentleman ». C'est la question qu'il m'a posée avant qu'il n'arrive.

- C'est un gentleman, j'espère. Il agit de façon respectueuse avec toi ?

- Mais oui, p'pa. Inquiète-toi pas.

- Je ne m'inquiète pas. Je m'informe.

Il a vraiment changé, Pop, depuis que Michaël est dans ma vie. C'est fou. Il s'intéresse à moi. En fait, il s'intéresse à Michaël. Il lui pose toujours des questions. Eh, oh ! Pop, Michaël, c'est mon ami, pas le tien ! Si tu veux parler avec quelqu'un, fais-toi un ami ! Il l'accapare. Dès que Michaël a mis le pied dans la maison, Pop a sauté dessus et lui a posé des questions sur son équipe de hockey préférée ou un autre truc insignifiant. Et pour une deuxième fois, il lui a demandé ce que ses parents faisaient dans la vie. Quand il a eu la réponse, il est passé à ses grands-parents !

- Je ne sais pas, a dit Michaël. Un de mes grands-pères était policier, mais l'autre...

- Y'a pas d'urgence, a dit mon père. Renseigne-toi.

Nawak !

Je ne sais pas pourquoi, mais je ne m'endors pas du tout. Habituellement, à cette heure, je suis crevée. Mais pas là. C'est comme si j'avais bu cinq cafés en ligne. Me semble que je grimperais sur mon lit et que je sauterais. En faisant de la corde à danser. Et en chantant. 😮

Pendant le film, j'étais assise sur le canapé entre Kim et Michaël. Alors que Kim me massait les pieds, Michaël me caressait les cheveux. J'étais aux anges ! Kim n'a pas eu l'air d'être jalouse. Elle est dure à suivre un peu.

Ahhh ! Michaël vient de se brancher !

(...)

Hum... Étrange... J'ai demandé à Michaël s'il pouvait être notre représentant de secondaire 4 et il a hésité. Il a dit qu'il allait « y penser ». Ben là ! Penser à quoi ?! C'est un peu de travail pendant cinq jours. Rien de trop éreintant. Peut-être qu'il n'aime pas Kim ? Peut-être qu'il ne m'aime pas ?! Peut-être qu'il trouve que je lui en demande trop ?! Peut-être que je fais de la paranoïa aussi. Ça se peut bien. Il m'a dit qu'il allait me donner la réponse demain. Il est mieux d'accepter, sinon je vais le battre ! Juste un peu, je ne veux pas lui faire mal.

Quoi d'autre? Ah oui, Youki mon petit chien d'ammmooooouuuurrrr a mangé du popcorn extra *full* beurre qui était tombé sur le sol et il a été malade. J'ai fait semblant de ne pas voir son dégât, Fred a marché dedans et il a été obligé de le ramasser. Hi, hi, hi... Je suis démoniaque!

Je vais aller lire un peu. Et penser aux mains de Michaël dans mes cheveux.

Publié le 17 septembre à 7 h 28 par Nam
Humeur : Exaltée

> Constat

Je crois que je dois me rendre à l'évidence : je suis amoureuse de Michaël. Voyons voir si je suis atteinte de cette maladie. Ai trouvé ceci sur le Net.

Vous êtes amoureuse si :

> Vous êtes de bonne humeur de façon permanente. Oui, je pourrais être clown dans un cirque.

> Vous mangez moins ou avez perdu l'appétit. Oui !

> Avant de voir la personne en question, vous passez un temps fou à vous préparer. Oui, je songe à demander à Pop de me construire ma propre salle de bains.

> Vous pensez constamment à lui. Presque, il faut bien que je pense à moi des fois ! Alors c'est oui !

> Votre pouvoir de concentration est réduit. Oh oui !

> Lorsque vous voyez la personne, vous souffrez d'une sudation excessive. Bon, ce n'est pas le déluge, mais je sue pas mal plus. Oui !

> Le cœur bat plus vite à sa vue. Oui, je pourrais produire assez d'électricité pour faire fonctionner, mettons, le grille-pain !

> Vous le désirez. C'est personnel ! OK, c'est oui.

Si j'ai répondu « oui » à six de ces questions, je suis amoureuse. J'ai huit sur huit! Je suis sévèrement atteinte.

Reste à savoir si lui m'aime. 😳

Je ne peux pas tomber amoureuse! J'ai trop de choses à faire, je suis trop occupée. L'école, les élections, l'impro (première réunion la semaine prochaine), mes cours de kung-fu (bon, OK, je n'en suis pas)... Dans le fond, l'amour, c'est une affaire vraiment pas polie. Est-ce que je l'ai invité dans ma vie? Qui lui a permis de s'emparer de mon esprit et de mon corps? Pas moi!

Je dois relaxer, prendre de grandes respirations. Ça va peut-être passer. Peut-être pas! J'ai vécu la même chose avec Zac. C'est tellement bon! C'est tellement magique!

(Zac, mon cher amour. Pardonne-moi d'en aimer un autre. Tu auras toujours une place dans mon cœur, mais pas toute. T'auras celle qui t'appartient, petite, peut-être, mais elle sera permanente. J'espère que là où tu es, tu vois à quel point Michaël me rend heureuse. Je t'aime, Zac chéri. Eh puis, cette histoire du t-shirt, c'est peut-être toi qui as tout manigancé. Allez, avoue! 😌)

(...)

Schnoute! Je viens de lire sur l'amour d'un point de vue scientifique et y'a rien de magique là-dedans! Ce serait encore la faute des hormones.

Il y aurait la phényléthylamine qui peut redonner un max d'énergie à quelqu'un de fatigué. Et il semblerait qu'elle paralyse le sens critique, donc la personne qu'on aime devient parfaite. Et le chocolat en contient. Beurk! (Même si on disait que cette supposée douceur [du démon] donne des ailes ou transforme les oreilles en distributrices à jus de carotte, je n'en mettrais pas dans ma bouche.)

Il y a aussi la sérotonine, qui permet de contrôler le stress et l'anxiété.

Et l'ocytocine, une hormone de l'attachement.

Tout cela pour permettre à l'être humain « d'établir un lien relativement durable avec une personne du sexe opposé afin d'en arriver à la copulation et à la perpétuation de l'espèce ». Ark! 😖 Dit comme ça, il n'y a aucune magie là-dedans! On est finalement comme des robots.

(...)

Bon, on ajoute qu'il reste encore des mystères à résoudre. Par exemple, les scientifiques ne savent pas pourquoi une personne est attirée par une autre et qu'une autre la repousse. Ce serait la faute de substances chimiques qu'on dégage qui s'appellent des phéromones.

J'arrête de lire ces trucs. Les scientifiques ne sont tellement PAS romantiques. Ils vont tuer l'amour.

(...)

Je m'en vais chez Kim, elle vient de se brancher. GROSSE journée en perspective. On doit rédiger le tract avec nos promesses. De la réglisse rouge pour tout le monde! Et pour toujours!

> Elle abandonne!

Kim et moi avons travaillé super fort ce matin. Tellement qu'on a terminé d'écrire le tract! On est hyper fières. On vient de l'envoyer à une de nos collaboratrices pour qu'elle en fasse le montage. Il va être super beau, en plus. Lundi matin, je vais aller le porter au secrétariat de l'école pour le faire imprimer.

Alors donc, parce que je suis nouvelle dans cette école, Kim m'a fait un résumé des trucs qui pouvaient être améliorés à l'école. On en a choisi trois. On aurait pu en mettre plus, mais on ne veut pas faire des promesses qu'on ne tiendra pas.

On a appelé ça « Les trois travaux de Kim ».

1) Pendant l'été, des caméras de surveillance ont été installées dans l'école. Une dizaine, en tout. Elles ne fonctionnent pas encore parce qu'il reste la permission du Comité des parents à obtenir. Kim aimerait que le Comité étudiant ait aussi son mot à dire. Elle trouve que c'est une atteinte à nos droits. Comme si on était dans une prison. Ces dernières années, il y a eu beaucoup de vols dans l'école, beaucoup de vandalisme aussi. Des méfaits qui ont coûté des milliers de dollars à la direction. J'en ai discuté avec Kim. Je ne vois pas vraiment le problème si ça peut empêcher les têtards gluants d'avoir du plaisir.

De plus, lorsqu'on n'a rien à se reprocher, qui est-ce que ça dérange?

Elle m'a dit que la prochaine étape est d'en installer dans les toilettes. Oups! Là, c'est aller trop loin.

2) La caf. La bouffe est terrible. Ultra mauvaise. Trop de sucre. Trop de gras. Trop de sel. Il faut faire quelque chose, offrir aux élèves des menus plus sains. Une poutine ou un hotdog, c'est bon une fois de temps en temps. Mais pas tous les jours. On dit qu'il y a une épidémie de gens trop gros. Il faut faire quelque chose. Montrer qu'il y a de la nourriture saine qui est bonne au goût. À première vue, ça ne risque pas d'être une proposition que les élèves vont aimer.

J'ai fait remarquer à Kim que des restos de *junk-food*, il y en a plein autour de l'école. Les élèves qui ne voudront pas manger santé n'auront qu'à y aller.

- Eh bien, tant pis pour eux! m'a dit Kim. On va au moins leur offrir le choix. Et tranquillement, ils vont comprendre. C'est le gros bon sens.

Il y a aussi des machines distributrices de boissons gazeuses pleines de sucre et de caféine. Je ne le savais pas, mais la direction est payée pour les garder dans la caf. :-) Les contrats viennent à échéance cette année. Kim aimerait les remplacer par une distributrice de bouteilles de jus de légumes ou de lait.

3) Le point le plus populaire sera le dernier. On est contre l'imposition d'un uniforme. Ça se trame à la direction. Ce serait pour l'année prochaine. On veut que les élèves aient le droit de garder leur identité. Aussi,

certaines teintures dans les cheveux ne seraient pas tolérées. Les couleurs non naturelles comme le bleu ou le vert. Qui est-ce que ça dérange? Si c'est comme ça que l'élève s'aime?

Mais on est pour l'interdiction des t-shirts/chandails aux messages haineux ou vulgaires. De toute façon, le règlement le fait déjà. Aussi, les filles, elles doivent avoir de la classe. Les jupes trop courtes et les décolletés qui n'en finissent plus, non merci. Pas de vulgarité. (Surtout que des seins, je n'en ai pas assez pour qu'ils montrent une craque de la mort, alors ça ne me dérange pas trop. ☺)

(...)

Kim vient de parler avec une copine et paraît que Nathalie s'est retirée de la course! Il ne resterait donc que Jimmy et Kim! Qu'est-ce qui s'est passé? Nathalie était vraiment déterminée. On l'a vue hier après-midi et elle était de bonne humeur. On a discuté un peu, une fille vraiment *cool*. Si je ne connaissais pas Kim, c'est sûr que je voterais pour Nath. Elle nous a même demandé si on avait besoin d'aide.

Et là, on vient d'apprendre qu'elle a abandonné. Kim et moi, on ne comprend pas. La copine de Kim a dit que depuis hier soir, Nath n'arrête pas de pleurer. On va aller aux nouvelles.

Machiavélique

Namxox

Publié le 17 septembre à 15 h 03 par Nam
Humeur : Indignée

> Alerte à la réglisse noire!

Il s'est passé quelque chose de vraiment dégueulasse avec Nathalie. On ne sait pas qui a fait ça, mais évidemment, on soupçonne Jimmy ou les membres de son équipe.

Jeudi dernier, Jimmy est allé voir Nath dans son local. Il lui a suggéré de former une alliance. Nathalie a refusé. Jimmy lui a promis qu'elle allait devenir son bras droit, mais elle n'a pas cédé. Et là, Jimmy s'est fâché et lui a dit qu'elle allait « le regretter ». Nath n'a pas pris ça comme une menace, mais comme la réaction d'un enfant gâté qui n'a pas ce qu'il veut. Il frappe du pied et pleure, fait le *bacon* sur le plancher, mais on l'ignore et ça passe.

Quand Nath est retournée à son casier après la dernière période vendredi, quelqu'un avait gribouillé des trucs vraiment pas gentils dessus. Personne ne sait qui c'est. Nath est anéantie.

Kim a trouvé son numéro de téléphone. C'est sa mère qui a répondu. Elle a dit que sa fille ne voulait pas être dérangée. Kim a insisté, elle lui a dit qui elle était. Et là, sa mère lui a dit que si c'était elle qui avait fait les graffitis, elle était pas mal effrontée.

Kim est restée calme. J'aurais capoté à sa place.

- Ce n'est pas moi, madame. Je respecte votre fille, je ne ferais jamais ça.

Finalement, Kim est parvenue à avoir Nathalie au bout du fil. Elle ne pleurait pas, mais elle était bête.

- Reste dans la course, a dit Kim. Si tu laisses tomber, tu vas leur donner raison.

Nathalie ne répondait que par des oui et des non. Kim a alors compris qu'elle faisait partie des suspectes.

- Nath, je te jure sur la tête de mes parents que je n'ai rien à voir avec cette dégueulasserie.

- Ouain, c'est ça.

- Nath, je te le jure.

- Ce n'est pas ce que Bastien a dit.

Kim ne savait pas qui est Bastien. Elle a insisté un peu et elle a enfin entendu l'histoire au complet. Bastien est le gars qui représente Jimmy chez les secondaires 3. Il est dans la classe de Nath. Et son casier est proche du sien. Il a assisté à sa réaction quand elle a vu le graffiti. Et le premier truc qu'il lui a dit est que c'était sûrement quelqu'un de notre équipe qui avait fait ça. Parce que Kim l'avait commandé.

Ma *best* s'est un peu énervée.

- Eh bien, je vais lui parler à ce Bastien. Je n'ai rien à voir là-dedans.

Kim n'a pas réussi à convaincre Nathalie. Comment peut-elle penser qu'on a un rapport quelconque avec ça ?! C'est tellement idiot comme geste. Je me demande ce que la personne a écrit sur le casier pour atteindre Nath de la sorte. C'est une fille forte, il me semble.

Kim est dans tous ses états. Elle cherche par tous les moyens à joindre le Bastien en question. C'est tellement gratuit comme commentaire. Et les accusations sont fausses !

(...)

Misère. Est-ce que quelque chose pourrait bien aller ? Jimmy a approché Michaël pour être son représentant de secondaire 4 !!! ☹ C'est pour ça qu'il ne m'a toujours pas donné sa réponse. Ce n'est pas un hasard. Je suis persuadée que Jimmy savait que Michaël et moi, on est amis. Pas vraiment difficile à déduire, on passe souvent du temps ensemble. Il ne connaissait pas Michaël avant. Ce n'est pas une coïncidence !

Kim vient de me parler d'un livre qu'elle a déjà lu, *Le Prince* de Machiavel, un Italien. Un livre écrit il y a super longtemps. Je vais vérifier sur le Net. (...) Wow ! Ça fait effectivement longtemps, ça date de 1532 ! Dans son ouvrage, il indique aux leaders les manières les plus efficaces et les plus croches pour gouverner. Genre : « Il est plus sûr d'être craint que d'être aimé » ou « Diviser pour mieux régner ».

Le mot *machiavélique* vient de Machiavel. Quelqu'un de machiavélique, c'est quelqu'un de diabolique et d'hypocrite.

Eh bien, Jimmy est machiavélique. On n'a pas de preuve que les graffitis haineux sont de Jimmy ou de son équipe. Mais les soupçons pèsent fort sur lui.

Michaël est mal à l'aise parce qu'il a accepté de faire partie de l'équipe de Jimmy. Il ne savait pas que j'allais lui proposer de venir nous aider.

- Ce n'est pas grave, lui ai-je dit. Il aurait fallu que j'y pense plus tôt.

Avant de terminer la conversation, il m'a demandé :

- Tu m'aimes encore ?

J'ai répondu :

- Je ne sais pas.

Bien sûr que je l'aime encore. Je le manipule juste un peu.

Je ne peux pas croire que le gars que j'aime va travailler avec cette réglisse noire de Jimmy.

Je ne peux pas le croire !

Exorciste
recherché

Namxox

Publié le 17 septembre à 17 h 21 par Nam
Humeur : Contrariée

> ### > Les petits démons me tourmentent toujours

Mom s'est encore ouvert la trappe sans m'en parler. Madame Pincourt a appelé pour faire garder ses deux monstres. Et sans me consulter, Mom a dit qu'il n'y avait pas de problème ! Argh ! Ça fait combien de fois qu'elle me fait le coup ? Je ne suis pas contente.

- Mom, je dois travailler ce soir.

C'est vrai ! J'ai même dit à Michaël que je ne pouvais pas le voir !

- Arrête, ce ne sont pas quelques heures qui vont changer quelque chose. Madame Pincourt compte sur toi. Si tu refuses une fois, elle va aller voir ailleurs.

Comme si ça me dérangeait.

- Ses fils sont maudits. Ils ont la marque du démon.

- Namasté !

Oups ! J'ai exagéré un peu. J'ai essayé de me rattraper.

- C'est vrai ! Ils sont possédés ! Si j'y vais, un prêtre vient avec moi. Il faut les exorciser.

- Arrête !

- Mom, je ne peux pas y aller. C'est la dernière semaine de la campagne et ça ne va pas super bien.

112

- Alors vas-y avec Kim. Vous pourrez travailler quand ils seront couchés.

Ouain... Et peut-être qu'à deux contre deux, ils vont être plus supportables? J'ai appelé Kim, je lui ai demandé si ça la dérangeait qu'on aille chez madame Pincourt pour travailler. Non, ça ne la dérangeait pas.

Bon, alors je vais aller garder ce soir. J'ai un trop bon cœur.

Ça tombe mal, j'ai trop de choses dans la tête. Avec Nathalie qui n'est plus là, on va être la cible de Jimmy. Et rien ne semble à son épreuve. Quelle cochonnerie il nous réserve? Sans blague, je commence à avoir peur.

Nouvelle attraction
pour les jumeaux

Namxox

Publié le **17** septembre à **23** h 04 par Nam
Humeur : Joyeuse

> ## > Soirée mouvementée
> ## (comme si ce n'était pas prévisible)

Bon. Maxence et Maximilien nous ont donné du fil à retordre ce soir. En revenant à la maison il y a une heure, j'étais vraiment d'humeur massacrante. Genre si j'avais croisé un loup-garou, c'est moi qui l'aurais griffé à mort. Et après avoir dévoré son cœur, je me serais fait un manteau avec sa peau pour danser sous la pleine lune.

Les jumeaux ont été HORRIBLES. Vraiment. Mais avant tout, LA bonne nouvelle.

En revenant à la maison, qui m'attendait devant la porte ? Michaël ! Avec une rose ! Ohhh ! Il voulait s'excuser. Parce que je lui ai dit qu'on ne pouvait pas se voir ce soir, il pensait que j'étais fâchée contre lui. Pas du tout ! J'étais juste déçue.

Il m'a annoncé qu'il avait envoyé un courriel à Jimmy pour lui dire qu'il renonçait à être son représentant de niveau. Et il embarque dans notre campagne ! Youppi ! Il est vraiment chouette. Je l'aime.

Même si je lui ai dit que ce n'était pas nécessaire, il s'est justifié. Il a été vraiment étonné que Jimmy l'approche parce que comme j'ai écrit un peu plus tôt, il ne le connaissait pas. Juste de nom, comme tout le monde. Il lui a fait une belle façon, disant qu'il avait besoin d'un « gars comme lui » dans son équipe. Et lui a même promis un tour dans son auto sport quand il allait le vouloir ! Ridicule ! Mais bon, ça venait tellement de nulle part comme invitation que Michaël a dit oui. Sans réfléchir.

Eh bien, il a changé d'idée et c'est nous qu'il va aider. Je suis *full* heureuse. 😊 Kim aussi. Ils se sont tapés dans la main.

Pendant qu'on parlait dehors, j'ai vu les rideaux du salon bouger quelques fois. Pop, évidemment. J'en ai parlé et Kim dit que c'est normal, que c'est son « devoir » de père de me protéger. Je ne déteste pas ça, même s'il est fatigant des fois.

Deuxième bonne nouvelle, sur la table de la cuisine, Grand-Papi m'a laissé un message. Il me disait qu'il avait appelé la dame qui s'occupait d'H'aïme le renardeau coquinot et que tout allait bien. Il a même passé une nuit dehors, dans la nature. Elle dit qu'au cours de la semaine prochaine, il devrait recouvrer la liberté complètement.

La soirée, donc.

J'avais averti Kim que les jumeaux étaient turbulents. Elle a déjà gardé, elle m'a dit qu'elle était prête à tout. Tant mieux.

Madame Pincourt était pressée, comme d'habitude. Elle a mentionné qu'il n'y avait « rien de spécial » et qu'ils étaient au courant que s'ils me faisaient passer un mauvais quart d'heure, ils allaient être punis à son retour. Ce n'était pas la première fois que j'entendais ça, mais bon.

Maxence et Maximilien regardaient un film à la télévision. Quand ils m'ont vue, ils n'ont pas réagi. Mais quand ils ont vu Kim, ça été différent. Ils n'arrêtaient pas de fixer ses yeux. Parce qu'ils sont bridés. Kim leur a expliqué qu'elle est née en Chine et que là-bas, tout le monde a des yeux comme les siens.

On a pu travailler une heure sans être dérangées. Sauf une fois où les jumeaux ont tiré sur leurs paupières pour avoir l'air de Kim. On leur a expliqué que ce n'était pas gentil et ils ont arrêté.

Ah oui, j'ai eu une méga idée géniale pour la campagne ! J'en reparlerai plus tard.

L'heure du dodo est arrivée. Pas besoin de leur donner le bain, madame Pincourt l'avait déjà fait. Je les ai aidés à se brosser les dents et hop ! au lit.

- T'as tellement exagéré, a dit Kim une fois qu'on s'est assises à la table pour continuer à travailler. Ce sont des anges. Je les garderais n'importe quand.

- Je te jure que les dernières fois, ils ont été épouvantables. Ils vieillissent, faut croire.

Là, Maxence à crié qu'il avait envie de pipi. Je l'ai accompagné à la salle de bains. Deux minutes plus tard, c'était au tour de Maximilien. Puis, pendant dix minutes, plus rien. Jusqu'à ce qu'on entende des rires qui se sont rapidement transformés en hurlements.

Kim et moi avons couru dans la chambre. Les jumeaux faisaient honneur à leur réputation.

Dans leur chambre, il y a un ventilateur au plafond. Je ne sais pas trop comment ils ont fait, mais ils ont enroulé des cordes sur les pales. Puis, ils ont allumé le ventilo et se sont suspendus à la corde. Et ils ont été entraînés.

Quand on est entrées, les deux faisaient des grands cercles dans la chambre en couinant. Je me suis penchée au dernier instant pour ne pas recevoir les pieds de l'un d'eux dans le visage. Kim a réussi à l'attraper. C'était Maxence. Sauf que le ventilateur a été déséquilibré. Maximilien a lâché la corde et il a foncé dans le mur.

Plus de peur que de mal. Les deux pleuraient à chaudes larmes et s'accusaient mutuellement. Kim n'en revenait pas. Moi, bof. Je les ai un peu chicanés, j'ai mis une serviette d'eau froide sur le bobo de Maximilien et je leur ai chanté une chanson pour qu'ils s'endorment.

Et Kim est super traumatisée ! Ah ! Ah ! 😃

Madame Pincourt m'a dit qu'ils s'étaient essayés l'après-midi même, mais qu'elle les avait surpris.

Le pire est que je les adore, ces monstres. Quand je vais avoir des enfants, j'en veux des tannants comme ceux-là. Bon, OK. Un peu moins.

Je suis morte de fatigue.

> **C'est lui**

Depuis ce matin, je travaille avec Kim sur l'idée super méga géniale que j'ai eue hier. Au lieu de faire imprimer un tract avec nos promesses électorales, on va plutôt créer... un blogue ! On va y trouver toutes les informations nécessaires et il va y avoir un forum où les élèves vont pouvoir s'exprimer.

On va imprimer l'adresse sur des feuilles et les découper ensuite. On peut en mettre plus de cinquante par feuille. C'est économique et écologique. Après on va glisser les morceaux de papier dans les casiers.

C'est sûr que les élèves vont se demander où mène l'adresse. Ils vont y aller et découvrir ce que Kim a à leur offrir.

Je suis pas mal fière de moi ! Kim trouve aussi que c'est une excellente idée.

J'ai reparlé avec elle de ce qui s'était passé l'autre nuit. Même si je sentais que ma *best* n'y tenait pas, c'était important pour moi. Question de dissiper tout malentendu. Kim faisait une recherche sur l'ordi. J'ai profité de son moment de faiblesse pour aborder cette histoire épineuse.

- Je voulais te parler de ce qui s'est passé entre nous deux.

- Tu parles du massage de pieds ?

Même si c'était clair qu'elle faisait l'innocente, j'ai quand même décidé d'embarquer dans son jeu.

- Non, non. Avant. La nuit.

- Je ne sais pas de quoi tu parles. Tu sais, je suis somnambule.

- Kim...

Ma *best* a cessé de taper sur le clavier et s'est tournée vers moi.

- Tu aimes Michaël, n'est-ce pas ?

- Peut-être.

- Arrête de me niaiser. C'est clair que tu l'aimes. Maintenant, imagine que t'apprennes qu'il aime quelqu'un d'autre. Une fille. Ou, pire, un gars, parce que ça veut dire que tes chances avec lui seront nulles.

Je ne voyais pas trop où elle voulait en venir.

- Oui...

- Comment vas-tu te sentir ?

- S'il aime quelqu'un d'autre que moi ? Je vais avoir le cœur en mille miettes.

- Eh bien, c'est comme ça que je me sens. L'orientation sexuelle, ça ne se décide pas. Je ne me suis pas levée un matin en me disant que ce serait une bonne idée de préférer les filles aux gars. Je suis comme ça. J'ai toujours été comme ça. C'est super dur à accepter.

Sa sincérité était désarmante.

- Je comprends.

- Non, tu ne comprends pas. Tu ne *peux pas* comprendre. Je t'aime, Nam. Comme amie, oui, mais je voudrais tellement que tu sois amoureuse de moi comme je le suis de toi. J'ai compris que ce n'était pas possible. Et je dois en faire mon deuil. C'est ce que j'essaie de faire.

- D'accord.

Elle a pris une pause, comme si ce qu'elle venait de me dire l'avait libérée d'un fardeau.

- Ne me reparle pas de ce qui s'est passé entre toi et moi. Ça me fait mal de penser que ça n'arrivera plus.

- Désolée, je voulais simplement...

- Ça va. On continue à travailler, d'accord?

J'ai fait oui de la tête. Le message a passé, j'ai compris. Même si c'est mon amie et que je l'aime, je dois la laisser vivre son « deuil », comme elle dit. Je ne peux rien y faire. J'ai senti qu'il lui avait fallu tout son courage pour me parler. Et elle savait qu'un jour ça allait arriver parce que ses mots ont été bien choisis. Mais j'ai senti en elle quelque chose de fragile. Comme si son cœur était fait de cristal. Je vais me taire.

Ironie du sort, on a sonné à la porte quelques instants après la conversation. C'était Michaël. Comme s'il avait attendu que l'on termine notre conversation avant d'appuyer sur le bouton de la sonnette. Biz.

Kim a passé une très mauvaise nuit. Pas à cause des jumeaux (ce serait une bonne raison!), mais plutôt à cause de ce qui s'est passé avec Nathalie. Ça la tue de penser que Nath croit qu'elle a un lien avec les graffitis. Mais comment trouver une preuve irréfutable ? Kim est contre elle dans la course. Elle fait partie des suspects logiques. Autant que Jimmy, d'ailleurs.

Eh bien, quelques minutes après être entré, alors qu'on discutait avec Michaël de ce qui s'était passé, il a déclaré :

- Je dois vous dire quelque chose.

On a ouvert toutes grandes nos oreilles.

- Je ne sais pas si je devrais, cependant.

Ah, non ! Je déteste quand les gens font ça !

- Allez, a dit Kim. Il est trop tard.

- Non, non. C'est que je ne veux pas créer de problèmes.

- Arrête, j'ai dit. Tu ne peux pas nous agacer comme ça.

- Vous devez me promettre de ne rien répéter.

Kim a fait un clin d'œil à Michaël.

- Même si t'as commis un meurtre ?

Michaël a retourné le clin d'œil à ma *best*.

- J'en ai commis plusieurs, mais je ne vous en parlerai pas.

- Allez, j'ai dit. Lance !

- Ça reste entre nous, d'ac ?

Kim et moi avons répliqué en même temps :

- Oui, oui.

- Très bien. Quand j'ai parlé avec Jimmy jeudi dernier, il a mentionné qu'il réservait une « surprise » à Nathalie.

- Est-ce qu'il a parlé du casier ? j'ai demandé.

- Non. Mais il m'a dit qu'elle allait apprendre que personne ne veut d'elle comme présidente.

- C'est lui ! s'est exclamée Kim. C'est lui, les graffitis !

- Il n'y a pas de preuve concrète, j'ai dit.

J'ai regardé Michaël (il est tellement beau, c'est fou ! 😳).

- Est-ce qu'il a dit clairement qu'il allait écrire des messages sur le casier de Nath ?

- Non.

- Alors ce n'est pas suffisant pour le dénoncer. Mais ça nous donne une piste.

Kim a demandé la permission à Michaël d'en parler à Nathalie. Après quelques hésitations, il a accepté.

Kim est au téléphone avec elle, présentement.

> De pire en pire

On s'est tous rendus chez Nathalie cet après-midi. Michaël lui a raconté ce qu'il savait. Ce n'est pas grand-chose, mais c'est assez pour dissiper quelques doutes. Nath, qui avait un sourire, a gracieusement accepté de rayer Kim de la liste des suspects. Yé !

Mais ça ne l'a pas fait changer d'avis : à la première heure demain matin, elle retire sa candidature. Kim a dit qu'il ne fallait pas, mais Nath a été blessée par l'expérience. Elle nous a remerciés pour notre soutien, mais elle a déjà avisé tous ses collaborateurs qu'elle renonçait à ce projet. Comme elle dit, la campagne électorale est supposée être un jeu, pas une guerre. Elle a tellement raison.

La personne qui a écrit les horreurs sur son casier a frappé dans le mille. Nath a honte de son poids. Elle s'est toujours fait niaiser, genre depuis la garderie. Elle fait des régimes, mais ça ne fonctionne pas. Depuis un an ou deux, elle fait attention à ce qu'elle mange, mais elle a décidé de s'accepter comme elle est. Elle a perdu presque dix kilos depuis. C'est super bon. Sauf que l'assurance, c'est fragile. Une méchanceté peut la faire voler en éclats. Dans la chambre de Nath, il y avait trois pots de crème glacée vides sur sa commode. Je crois que c'est ce qu'on appelle « manger ses émotions ».

Moi, Nath, je la trouve belle. Elle a un beau visage avec des taches de rousseur. Et ses yeux sont magnifiques, son sourire aussi, j'en ai déjà parlé.

Quand j'étais chez Nathalie, je ne savais toujours pas ce qu'on avait écrit. Là, je le sais. Il y a un méga têtard gluant qui a pris le casier en photo et qui a fait circuler l'image par courriel. Kim l'a reçue après quelques transferts. Je l'ai regardée. C'est ignoble, juste ignoble. 😞 Il y a des gens pour qui la méchanceté n'a pas de limites. Si j'étais Nath, j'aurais probablement aussi laissé ma place. *Schnoute!* C'est une campagne électorale, la vie de personne n'est en danger.

Avant de partir, Kim a insisté pour qu'elle reste dans la course, mais il n'y a rien à faire.

Je suis fatiguée et la semaine n'est même pas commencée. Même si Michaël et Kim sont là, je vais aller m'étendre.

Publié le 18 septembre à 19 h 12 par Nam
Humeur : Ambivalente

> ## La sieste, c'est bon pour la santé (et le moral!)

Quand je fais une sieste, il m'arrive de me réveiller tellement de mauvaise humeur que les murs de la maison en tremblent. Je ne sais pas pourquoi. Ce doit être ENCORE hormonal. (...) Bon, je viens de faire une recherche sur le Net (qu'est-ce que je ferais sans lui?!) et ça aurait plutôt rapport avec les cycles du sommeil. Genre si on dort plus de vingt minutes, on entre dans un sommeil profond et si on est réveillé, c'est l'horloge interne qui se dérègle... Bah, trop compliqué, on va dire que c'est hormonal.

Je me suis étendue sur mon lit et dès que j'ai posé la tête sur l'oreiller, je me suis endormie. Et quand je me suis réveillée, Michaël était couché derrière moi, sa poitrine collée à mon dos et son nez dans mon cou. C'était chaud et très confortable. Comment être de mauvaise humeur? J'avais l'impression de rêver les yeux ouverts!

Lorsqu'il a vu que j'étais réveillée, il m'a demandé si j'avais bien dormi. Je lui ai répondu oui. Mais dès que je me suis étirée les bras, il a posé une main sur ma hanche et m'a dit qu'il était désolé, mais qu'il devait partir. Moi aussi j'étais *full* désolée. Pendant tout ce temps, Kim était dans la chambre et faisait des recherches sur le

Net. Quand Michaël est sorti, elle m'a dit, sans détacher ses yeux de l'écran de l'ordi :

- Il capote sur toi, c'est évident. Et ça me fait capoter à mon tour. Ça me fait tellement mal.

- Désolée. Je ne vais plus l'inviter.

- Non, non. C'est mon problème.

Il y a eu une pause. Puis, je lui ai demandé :

- Tu penses qu'il m'aime ?

- C'est évident, je t'ai dit.

Même si la question l'a irritée, j'ai continué :

- Tu penses que je pourrais sortir avec lui ? Je veux dire, tu nous vois ensemble ?

Oups ! Faux pas de ma part.

- Nam, je ne vous vois pas ensemble. Je me vois avec toi. Ça m'a tout pris pour ne pas aller te rejoindre dans le lit.

- Désolée, Kim. Je ne vais plus l'inviter.

- Ça va, ça va. Je vais m'y faire, j'imagine. De toute façon, je suis habituée à ça. Je tombe amoureuse et pas l'autre. Ça va être ma vie.

- Mais non...

Elle m'a coupée :

- Écoute, je ne suis pas conne. Premièrement, je suis d'origine chinoise. Combien de jeunes de mon âge sont comme moi ? Adoptés avec les yeux bridés, je veux dire ? Genre 0,3 % ? OK. Maintenant, combien de filles sont Chinoises ET lesbiennes ? Tu y as pensé ? Personne ne fait vraiment de cas de mes origines. Je sais que je suis différente, je ne peux pas le cacher. Petite, je me regardais dans le miroir et j'essayais de rendre mes yeux normaux, comme les tiens. Mais avec le temps, je me suis habituée. C'est comme ça.

Elle a fait une pause et a retiré ses mains du clavier.

- Sauf que là, c'est différent. Ce sont les filles que j'aime. Et ça, c'est pas mal plus dur à accepter que mes yeux bridés. Je sais que je suis ce que je suis, qu'il n'y a pas moyen de changer. Mais quand je regarde une fille qui est à mon goût, il y a neuf chances sur dix que ce soit les gars qui l'intéressent. Comme toi. Et en plus, t'es ma *best*.

Le ton de Kim était calme et posé, comme si elle parlait des sentiments de quelqu'un d'autre.

- Je ne sais pas quoi faire, j'ai dit. Je ne veux pas te faire de mal.

Elle a poursuivi ses recherches sur le Net.

- Je sais. Ce n'est pas ta faute. Michaël est un gars super. Il est gentil et il est drôle. Et je reconnais qu'il est beau. Tu es chanceuse. Une partie de moi te souhaite d'être heureuse avec lui.

- Et l'autre partie ?

Kim a hésité avant de dire :

- L'autre, eh bien, aimerait que tu réalises que c'est moi que tu aimes. Je suis déchirée, c'est une situation vraiment étrange.

Je me suis levée et je suis allée la serrer très fort dans mes bras.

- Je ne veux pas te faire mal. Si tu savais.

- Je sais.

Mom nous a appelées pour qu'on aille souper. Après, on a rempli le lave-vaisselle et présentement, on fait nos devoirs. Et on étudie parce qu'on a un exam de français demain. Il ne faut pas oublier qu'à part la campagne électorale, la vie continue.

Fred n'est pas
un dragon

Publié le 18 septembre à 22 h 57 par Nam
Humeur : Effrayée

> Fred a froid

Je n'arrive pas à fermer l'œil. Trop d'idées rebondissent dans ma tête comme des balles de ping-pong.

Il y a Kim. Je pense que pour quelque temps, je vais essayer de ne pas l'inviter quand Michaël sera là. Je sais que ça lui fait mal, je ne ferai pas exprès pour la blesser. J'ai compris quelque chose de super évident : elle est en peine d'amour. Ça, ça fait mal. 😣 Si je peux lui éviter des souffrances, pourquoi pas ? Avec le temps, elles vont s'atténuer. J'espère. Sinon... Je préfère ne pas y penser.

Il y a la campagne électorale. J'ai comme l'impression que la semaine qui s'en vient ne sera pas de tout repos. Avec ce que Jimmy a fait à Nathalie, j'ai peur. Ses attaques sont tellement lâches. Je crois que je vais aller voir le directeur demain. Il doit faire en sorte que la campagne électorale ne soit pas une campagne de salissage. On ne peut pas dire n'importe quoi sur n'importe qui.

Et il y a mon frère Fred. Qui continue à faire des gaffes. Après sa fugue, l'explosion du four à micro-ondes et l'agression de l'aspirateur, ce soir dans la cour, il s'est improvisé... cracheur de feu ! Comme on en voit dans les cirques ou chez les amuseurs publics. Sauf que ça ne se fait pas comme ça. On ne se lève pas un matin en se disant que ce serait une bonne idée de faire jaillir des flammes de sa bouche. Mon frère, il est adorable des fois, surtout quand il me sauve la vie en remettant à leur place des méchantes girafes qui veulent m'initier, mais d'autres fois, il est tellement ortho que ça m'effraie.

J'ai vu plein de vidéos sur le Net de gens (des gars, évidemment) qui, pour faire les intéressants, décident de cracher du feu. Et bien entendu, ça tourne mal. Genre, le liquide dans leur bouche se répand sur leur visage et s'enflamme. Et cause des brûlures graves. ON NE JOUE PAS AVEC LE FEU ! Me semble que c'est clair ? On nous le répétait quand on avait cinq ans. Dix ans plus tard, rien ne devrait avoir changé, me semble ?

D'ailleurs, je me demande vraiment si ça impressionne les filles. C'est comme les zozos qui font crisser les pneus de leur auto. Les gars, vraiment, je ne les comprendrai jamais.

Donc, mon frère. J'étudiais (en tout cas, j'essayais, je pensais à Michaël et à Kim et à la campagne et à Jimmy) quand j'ai entendu du bruit dans la cour. C'était Fred. Il était dans le cabanon.

J'ai remarqué qu'il y avait, sur le terrain, un contenant de lait. Tintin était là. Il disait à mon frère que ce n'était « pas une bonne idée ».

J'ai pensé un instant que Fred voulait tondre la pelouse, ce qu'il n'a pas fait de l'été, même si Pop et Mom le lui ont demandé mille fois et que le gazon était aussi long que je suis grande (j'exagère à peine, mais il fallait quand même l'aide d'un GPS pour trouver la porte d'entrée).

C'était un peu étrange, un dimanche soir du mois de septembre, mais bon, avec mon frérot, on n'est pas à une ou deux anormalités près.

Quand je l'ai vu ressortir avec le bidon d'essence, une petite voix dans ma tête m'a chuchoté que ça allait mal tourner.

(...)

Schnoute. Mom vient de découvrir que j'étais encore à l'ordi. Je dois éteindre.

Publié le 19 septembre à 6 h 24 par Nam
Humeur : Anxieuse

> **Dure semaine qui commence**

J'ai mal dormi. En fait, je ne sais même pas si j'ai dormi. Je suis réveillée depuis 5 h et je ne dormais pas encore à minuit et demi. Pas *cool*, l'insomnie. Je suis crevée. Même si je retournais me coucher, je sais que je ne me rendormirais pas.

Avant de me rendre à l'arrêt d'autobus, je prends quelques minutes pour terminer mon histoire. C'est un peu à cause de Fred que je n'ai pas pu dormir. Il est tellement imprévisible. Faut dire que Grand-Papi lui a donné toute une leçon.

Lorsque j'ai vu Fred sortir le bidon d'essence, je m'attendais à ce que la tondeuse à gazon suive. Mais non. D'ailleurs, est-ce que Tintin lui aurait répété que c'était une « mauvaise idée » s'il avait voulu tondre la pelouse ? Nan.

Sans rien dire, j'ai observé Fred. Quand je l'ai vu dévisser le bouchon du réservoir, un système d'alarme s'est déclenché dans ma tête. Avec la lumière rouge qui tourne et le signal sonore qui peut réveiller les morts (au moins leur faire ouvrir un œil).

J'ai ouvert ma fenêtre et j'ai sorti la tête.

- Fred ! Qu'est-ce que tu fais ?!

- Je vais cracher du feu.

Tintin s'est tourné vers moi.

- Ce sera un feu de joie sur deux jambes. Va chercher les guimauves. La guitare aussi, on va chanter des chansons.

- Quoi ? Attends, c'est une mauvaise idée.

- C'est seulement une idée, a dit mon frère. On va savoir bientôt si c'en est une bonne ou une mauvaise.

Fred a posé le bidon sur le gazon et a entrepris de dévisser le bouchon.

- C'est une mauvaise idée, j'ai répété. Arrête.

- Tu ne dis rien aux parents, d'ac ?

Évidemment, mon frère ne fait ses expériences que quand Mom et Pop ne sont pas à la maison.

- Va sur le Net, j'ai dit. C'est plein de vidéos de gars qui se sont brûlé le visage et ramassés à l'hôpital.

- Justement, a rétorqué Fred. Les seules vidéos qu'on voie montrent les gens qui n'ont pas réussi. Tous ceux qui y sont parvenus, on n'en parle pas.

Tintin a retiré sa jupe. Heureusement, il portait une petite culotte... Je me suis rendu compte que c'était un string quand j'ai aperçu ses deux fesses blanches ! ☺

- Je te dis de ne pas le faire, il a dit à mon frère. Mais si ça tourne mal, je vais te frapper violemment avec ma jupe pour éteindre le feu.

Je suis sortie de ma chambre. J'étais en état de panique. Peut-être parce que mon frère s'apprêtait à s'immoler par le feu, peut-être à cause du choc causé par la vue des fesses de Tintin, peu importe, j'ai couru. Et j'ai croisé Grand-Papi qui revenait d'un souper avec sa douce. J'ai réussi à formuler une phrase à peu près compréhensible qui contenait les mots « essence », « cour », « bouche », « cracher », « feu » et « fesses blanches à Tintin ». Grand-Papi a réagi sur-le-champ. Il s'est emparé de l'extincteur qui est sur le dessus du réfrigérateur et s'est lancé à l'extérieur.

Fred avait la bouche remplie d'essence quand on est arrivés, mais il avait du mal à allumer son briquet.

La réaction à laquelle je m'attendais :

Grand-Papi engueule Fred, lui ordonne d'arrêter ses plans stupides et le tire par l'oreille jusque dans la maison.

La vraie réaction de Grand-Papi :

Grand-Papi est resté pétrifié quelques instants en fixant les fesses de Tintin. Puis sans rien dire, il a tiré sur la languette de plastique et a aspergé Fred avec tout le contenu de l'extincteur. Il a vraiment attendu qu'elle soit vide avant de retourner dans la maison. Il n'a pas dit un mot. Moi non plus d'ailleurs. J'étais bouche bée.

Fred était *full* insulté. Il était tout blanc. Et autour de lui aussi. Comme si un gros cornet de crème glacée à la vanille venait d'exploser.

Fred a lâché pas mal de jurons que je ne peux pas répéter ici parce que je suis une gentille fille. Pendant ce temps, Tintin était plié en deux sur le sol, au bord de l'asphyxie, incapable d'arrêter de rire.

Il est l'heure de prendre l'autobus. Pour finir, juste ajouter que mes parents n'ont pas encore vu l'état de la cour. Ils vont capoter. Et je ne sais vraiment pas comment Fred va leur expliquer ce qui s'est passé.

(...)

Oups, Pop vient de regarder par la fenêtre !

Publié le 19 septembre à 16 h 07 par Nam
Humeur : Confiante

> Ça devrait bien aller

Ce matin, durant la première période, le directeur nous a convoqués. « Nous », c'est tous ceux qui participent intensément à la campagne électorale. Il voulait savoir qui était responsable des graffitis haineux inscrits sur le casier de Nath.

- C'est indigne de notre école. J'ai honte, a-t-il ajouté.

Il nous fixait avec des yeux super méchants. Tellement que je me sentais coupable ! 🙁

- Si quelqu'un sait quelque chose, qu'il le dise immédiatement.

Il faisait les cent pas dans son bureau. Il y avait Kim, Jimmy, la grande échalote et moi. Jimmy a demandé :

- Qu'est-ce qui vous fait croire qu'on a rapport avec ce qui est arrivé ? N'importe qui aurait pu écrire ça.

- Parce que ce sont les élections scolaires. Je ne suis pas né de la dernière pluie, je sais que ça peut devenir laid rapidement. Ça fait 25 ans que je suis directeur, j'en ai vu des affaires stupides. Mais ça, c'est juste méchant. Et je ne le tolérerai jamais.

- C'est une fille qui n'est pas super aimée, a dit Jimmy, qui devrait apprendre à fermer sa bouche de temps en temps. Elle a des ennemis et ils ont décidé de, genre, s'exprimer.

Monsieur M. s'est assis à son bureau et s'est emparé de son coupe-papier en désignant Jimmy.

- Ne me prends pas pour un imbécile, Jimmy. Nathalie est une élève appréciée. Elle a gagné l'année dernière le méritas pour son engagement. Pendant que tu fais des tours de char à 50 000 $ dans le stationnement de l'école après les classes pour impressionner, elle s'occupe des élèves en difficulté.

Ouch! Dans les dents! Le visage de Jimmy est devenu blême et il a baissé les yeux.

- Je n'ai aucune preuve, a dit le directeur. Et ne vous faites pas d'illusions, j'en ai pas trouvées. Je suis présentement en train de demander à tous les profs une liste des élèves qui sont sortis de leur classe pendant la dernière période.

Kim et moi on s'est regardées. Est-ce qu'on devait parler au directeur des révélations du beau Michaël? On avait déjà prévu le coup. On en avait discuté ce matin dans l'autobus.

- T'en penses quoi? j'avais demandé à Kim.

Après un long soupir :

- Je pense qu'on devrait se taire. Le coupable va se faire prendre. Si on parle, Michaël va être dans la *schnoute*. Et probablement nous aussi.

- Ouain... Sauf que s'ils ne trouvent jamais le coupable?

- On verra. Pour l'instant, il faut se concentrer sur les cinq jours qui viennent. Et faire comme si Jimmy n'existait pas.

La vérité, c'est que Kim et moi avons peur de Jimmy. Il nous intimide. Mais ni elle ni moi ne voudrions l'admettre.

- OK, j'ai dit. De toute façon, ça mettrait Michaël dans la *schnoute*, comme tu dis. C'est sûr que Jimmy va savoir que c'est lui qui nous a donné l'info.

La réunion avec le directeur a duré encore quelques minutes. Avant de nous laisser retourner en classe, il a ajouté :

- Je veux que la campagne électorale se poursuive sans anicroche. Je veux que vous soyez gentils entre vous. Je ne veux pas de mauvais coups ou d'entorses aux règlements. Est-ce clair ?

On a fait oui de la tête.

En sortant du local, Jimmy a accroché Kim.

- Pour Michaël, ne te fais pas d'illusions, c'est moi qui l'ai congédié. C'est maintenant toi qui est *pognée* avec cet incompétent.

Il s'est tourné vers moi :

- C'est ton *chum*, non ?

- Non, j'ai dit.

- Pfff... T'as honte de l'avouer. Je ferais la même chose si j'étais à ta place. Salut les fillettes !

La grande chose à côté de lui a ri. Et ils sont repartis en direction de leur classe.

- Salut, *el verro de contacto*, a dit Kim, VRAIMENT trop fort.

C'était quoi? De l'espagnol?! 😐 Jimmy s'est retourné.

- Quoi?

Kim a répété très lentement, comme s'il était un demeuré :

- J'ai dit : *el verro de contacto*.

Jimmy n'a pas eu l'air de comprendre que Kim le niaisait. En tout cas, s'il l'a compris, il n'a pas su quoi répondre. Je ne crois pas que ce « gosse de riches » (expression piquée dans un roman et que je trouve rigolote) s'est souvent fait remettre à sa place dans la vie.

Jimmy et sa tour Eiffel sont partis sans rien répliquer.

- T'es folle, j'ai dit à Kim en riant.

- Tu l'as entendu? Est-ce qu'on a l'air de fillettes? Il m'a insultée.

Nous avons finalement réintégré la classe. À la fin du cours, une surprise nous attendait. Mais je vais en parler ce soir, là, je dois faire mes devoirs avant d'aller souper.

Publié le 19 septembre à 19 h 26 par Nam
Humeur : Tendue

> Fred a été cuisiné

Ouille! Il a fallu que Fred explique à Pop et à Mom pourquoi la cour est dans cet état et ça n'a pas été beau.

Faut dire qu'il ne l'a pas vraiment nettoyée. Il croyait que ça allait s'évaporer ou quelque chose du genre. Au contraire, avec le temps, la poudre blanche s'est incrustée.

Dans le fond, c'est Grand-Papi qui est le responsable, mais Fred n'a pas osé l'accuser parce qu'il aurait fallu qu'il explique pourquoi il a fait ça.

- J'ai essayé l'extincteur. Au cas où il y aurait un feu, je veux être prêt.

Mes parents l'ont regardé avec une même incrédulité. Mon frère a continué à manger comme si de rien n'était.

- Ouais, s'il y a un feu. Je veux être capable de vous sauver la vie.

Grand-Papi a ricané.

NAWAK!!! Fred est en train de nettoyer la cour avec un seau d'eau et une serviette. Et il n'est pas content. À quoi il s'attendait? Que Grand-Papi le fasse pour lui?!

144

Je n'ai pas grand-chose à dire de Fred. Il a travaillé super fort pour la campagne aujourd'hui. On a fait imprimer des petits papiers avec l'adresse Internet du blogue de Kim et il en a distribué environ 200. En tout, l'équipe en a distribué plus de 500. Le problème, c'est que le budget est à sec. Plus d'argent pour des macarons ou un dirigeable qui survolerait l'école en laissant tomber des lecteurs MP3.

Je n'ai pas encore vérifié le nombre de visiteurs. Je n'ai pas mis beaucoup de détails sur le papier pour ne pas embêter nos futurs lecteurs. Il y a la photo de Kim, les trois promesses et une invitation à aller assister aux débats. Kim m'a appris qu'il y aura deux débats, mercredi et jeudi, pendant la période du dîner. Deux ! Si j'étais Kim, je serais tellement stressée. Pas elle. Elle a hâte. Pendant le cours de géo-histoire, on a travaillé sur les enjeux. Monsieur Roger a bien vu qu'on ne suivait pas ses indications, mais il n'a rien dit. Il est *cool*, même si sa perruque est embarrassante. Il est comme le seul à ne pas s'en préoccuper. Qu'est-ce qui est le plus gênant ? Montrer qu'on est chauve ou porter sur la tête un nid de corbeau qui a l'air d'être tombé d'un arbre avant qu'un bulldozer lui passe dessus ? Grand-Papi n'a plus beaucoup de cheveux sur la tête et ça ne le dérange pas. Ça lui donne même un style. Tsé, il a une blonde dans la trentaine et il a cent ans passés !

Ah oui ! J'ai oublié d'en parler : qui est le représentant de Jimmy en secondaire 2 ? Le sympathique Alex ! Il a passé la journée à inventer des choses méchantes au sujet de Kim. Des trucs qui n'ont aucun sens, genre si c'est elle qui est élue, elle fera en sorte que les cours se terminent à 17 h. Quoi ?! C'est tellement gros qu'il y a des gens qui y croient !

L'affaire de la raquette l'a vraiment fâché. On dirait qu'il se venge. Je pense qu'il ne veut pas vraiment que Jimmy gagne. Ce qu'il désire du plus profond de son être, c'est que Kim perde. Il y a une grande différence.

Il devrait être plus subtil dans ses mensonges. Sauf que, pendant qu'on essaie de rétablir la vérité, on ne parle pas de nos objectifs. Pour ce qui est de Jimmy, le seul programme qu'il semble avoir est de raconter des mensonges sur nos intentions. On perd un temps fou, c'est vraiment fatigant. J'ai beau suggérer aux élèves d'aller voir le blogue de Kim, ils ont des doutes.

D'ailleurs, je vais aller voir ce qui se passe sur le blogue. J'ai installé un logiciel qui calcule le nombre de visiteurs, j'ai hâte de savoir si ça fonctionne. Et Kim s'en vient, on doit préparer le débat de demain.

Publié le 19 septembre à 23 h 01 par Nam
Humeur : Souriante

> **Succès**

Wow, re-wow et re-re-wow! L'idée que j'ai eue de créer un blogue est super. Genre, c'est mieux que ce qu'on espérait. Depuis la fin des classes, si le logiciel ne me ment pas, il y a eu plus de 2000 visites! L'école compte à peu près 3000 élèves. Je suis supra contente. Je me disais qu'en haut de 100, je serais satisfaite. Ah! Ah! C'est 20 fois plus (si je sais bien compter).

Quand je l'ai annoncé à Kim, elle a pensé que je la niaisais. J'ai fait une copie d'écran que je lui ai envoyée. Elle n'en revenait pas.

Selon les statistiques, c'est dans l'heure qui a suivi la fin des classes que le plus d'élèves sont allés sur le site. Chose vraiment étrange, sur les 2021 visiteurs, il y en a un qui vient… du Gabon! Un pays d'Afrique qui compte plus de un million d'habitants. La capitale s'appelle Libreville et l'hymne national s'intitule *La Concorde*. Eh ben. On en apprend tous les jours! Vraiment biz, tout de même. Comment quelqu'un du Gabon a-t-il fait pour tomber sur l'adresse? Un bogue, sûrement.

Sur ces 2021 visiteurs, plus de 200 ont écrit des commentaires. Les premiers sont super positifs.

Ce soir, on a simulé un débat. Kim jouait son rôle tandis que j'étais Jimmy-les-yeux-*weird*. On a beaucoup ri. J'adore Kim, je m'amuse beaucoup avec elle.

Je vais me coucher, je suis morte.

Publié le 20 septembre à 0 h 53 par Nam
Humeur : Désillusionnée

> Ils n'ont rien d'autre à faire ?!

Je viens de passer plus d'une heure à filtrer les commentaires sur le blogue de Kim. J'ai lu des trucs vraiment affreux. Pourquoi les gens sont-ils si méchants ? Eurk. Ça me donne mal au cœur. 😔

Je. Dois. Dormir.

Publié le 20 septembre à 6 h 38 par Nam
Humeur : Colérique

> **Comment lui dire?**

Je suis en train de penser que cette histoire de campagne électorale n'était pas une bonne idée. Ça tourne mal. Ce n'est pas ce que j'attendais.

Je suis, genre, trop naïve. Pourquoi je m'acharne à penser que tout va bien aller? Ça ne va jamais bien! J'ai lu un truc sur le Net, un jour. Ça s'appelle la loi de Murphy. Elle dit quoi, cette loi? Elle dit que tout ce qui peut aller mal va aller mal. Par exemple, je ne me salis jamais quand je mange. Mais parce que je porte une robe blanche, c'est SÛR que je vais la tacher. Genre si je prends une bouteille de ketchup dans ma main, je vais tellement m'éclabousser que si je croise un policier, il va me mettre en état d'arrestation parce qu'il va me soupçonner d'avoir commis un meurtre. Aussi, quand j'ai super envie de pipi (je me retiens trop longtemps), je peux être assurée que la salle de bains va être occupée. Celle de Grand-Papi aussi. Et celles de tous mes voisins à un kilomètre à la ronde. Je suis donc *pognée* à aller me soulager dans la rocaille de Mom.

Pourquoi c'est comme ça? Pourquoi je ne peux jamais garder mes robes blanches blanches? Et pourquoi la salle de bains n'est jamais libre quand ma vessie est sur le point d'exploser? Ma vie est contrôlée totalement par cette loi. Je dois arrêter de penser que ça va aller bien. Je dois arrêter de penser que quand j'entreprends quelque chose, ça va se dérouler comme je l'avais prévu. 😕 Le pire est que je n'apprends pas.

Le blogue de Kim, entre autres. Idée de départ : permettre aux élèves de l'école de connaître Kim et de s'exprimer librement au moyen des commentaires. Résultat : une suite quasi ininterrompue de messages méchants, stupides et sans dessein.

Les premiers commentaires, les vingt premiers, mettons, étaient positifs. Genre « Bravo Kim », « C'est sûr que je vote pour toi » ou « Bonnes idées, t'as mon vote ! ». Puis, pour aucune raison particulière, anonyme456 a écrit qu'un prof (je ne me rappelle plus lequel) avait du poil sur la langue. Là, scrotum_atomique (quoi ?!) a répliqué en disant qu'en plus, ce prof s'était déjà entré un crayon dans une oreille qui était ressorti par l'autre. Et groslolo a répondu que scrotum_atomique était un imbécile. Et scrotum_atomique a dit à grololo que sa mère avait des morpions. Et s0ur_c@ndy leur a conseillé d'aller régler leur chicane de ti-cul dans une cour d'école ailleurs. Et grololo lui a rétorqué de se mêler de ses affaire et la chicane s'est poursuivie... NON !!! L'horreur !

Je croyais avoir atteint le fond du baril jusqu'à ce que mustang5L écrive qu'il ne voterait pas pour une « chinetoque lesbienne ». QUOI ?! Il a fallu que je me frotte les yeux. C'est purement dégueulasse d'écrire ça. Le problème avec le Web, c'est le côté anonyme qui, on dirait, donne le droit à tous les orthos de la terre d'écrire ce qu'ils veulent. Pourquoi le monde perd-il son sens de la politesse quand il est sur le Net? Qu'est-ce qu'il y a de différent? C'est encore des êtres humains avec des émotions qui font affaire avec d'autres êtres humains qui ont des émotions.

Les imbéciles qui ont écrit des trucs sur Kim, ils pensent quoi? Que ça ne va pas lui faire mal? Je ne suis pas elle et ça m'a fait pleurer! 😢

C'est comme si, à l'épicerie, on se mettait à cracher par terre et à mordre dans tous les fruits et les légumes. Et que, en voyant quelqu'un qu'on ne trouve pas beau, on le montrait du doigt en criant : « Maudit que té laitte, toé! » Il n'y a pratiquement pas de civisme sur le Net. Et le pire, je ne veux pas être sexiste, mais en général, ce sont des gars qui écrivent ce genre de trucs débiles.

D'ailleurs, le crétin qui s'appelle mustang5L, je suis sûre et certaine que c'est Alex. Pourquoi? Parce que son casier est rempli d'affiches d'automobiles Mustang. Pas les nouvelles, des vieilles qu'on appelait des « 5 litres ». Il est zozo, le gars.

J'ai juste le goût de me téléporter dans deux semaines, quand tout ce zoo sera terminé.

Il y a quand même des gentils commentaires. Je ne dois pas oublier ça. Mais les seuls qui restent gravés dans ma tête sont les méchants. Je ne peux pas croire que je vais rencontrer aujourd'hui certains de ces imbéciles dans les corridors. Je vais leur casser une raquette sur la tête à chacun! 😠

Alex ne s'en sortira pas comme ça. Quand je vais le croiser à l'école, il va savoir ma façon de penser.

Le pire est que je dois apprendre à Kim ce qui s'est passé. Si elle n'est pas au courant déjà. *Shit de schnoute.* J'haïs ce genre de situation.

Je dois me rendre à l'arrêt d'autobus. Je n'ai vraiment pas le goût de sortir aujourd'hui. Je voudrais rester sous mes couvertures toute la journée.

Publié le 20 septembre à 11 h 49 par Nam
Humeur : Calmée

> Grosse matinée

C'est l'heure du dîner. Ça va un peu mieux que ce matin. Je suis plus calme et, surtout, plus sereine à l'égard de mes congénères dégénérés. Wow ! C'est moi qui viens d'inventer cette expression. J'aime !

Kim est dans le bureau du directeur. Avec Jimmy. Aucune idée de ce qui se passe, mais c'est positif, j'en suis sûre. Pour nous !

Ce matin, quand j'ai vu que Kim n'était pas à l'arrêt d'autobus, j'ai couru chez elle. J'ai croisé Michaël qui était venu me rejoindre. Je lui ai dit de partir sans moi. L'amour est important, mais j'avais la nette impression que Kim avait besoin de moi.

Sa mère m'a dit qu'elle était malade. Genre qu'elle avait vomi pendant la nuit. Je suis allée la voir. Elle était verte, oui. Mais surtout, elle avait les yeux rouges.

- Qu'est-ce qui se passe, ma chouchoutte ?

(Je l'appelle comme ça des fois. 😊)

- J'ai fait une indigestion, je pense.

- D'accord. Tu ne peux pas aller à l'école ?

- Non.

Il y a eu un moment de silence où on s'est regardées. Elle a baissé les yeux et elle a commencé à pleurer.

- Ohhh... Ma chérie...

Je l'ai prise dans mes bras. On est restées comme ça au moins cinq minutes. Moi aussi j'avais le goût de pleurer, mais je m'étais préparée. À être forte, je veux dire. Pas à la voir avoir de la peine. Voir sa *best* pleurer, on ne s'habitue jamais à ça. ☹

Elle a pleuré d'aplomb. Mon t-shirt était inondé. Quand elle s'est calmée, je lui ai demandé :

- Qu'est-ce qui se passe ?

- Tu le sais...

Ouais, je savais. Les commentaires inscrits sur le blogue.

- Écoute, je sais qui a écrit ça. On ne va pas le laisser faire.

- Tout le monde sait, maintenant.

- Mais non, pas tout le monde.

Dans le fond, je savais que ces commentaires avaient probablement fait le tour de l'école à l'heure qu'il était, même s'il s'était passé à peine douze heures après leur publication. Des fois, mentir est une bonne chose.

- C'est ma faute, j'ai dit. J'ai été trop naïve. J'aurais dû modérer les commentaires.

- Ce n'est pas ta faute. Je sais maintenant ce que les gens pensent de moi.

- Non, ce n'est pas vrai. C'est une minorité. Ce sont des fouteurs de merde. On appelle ça des *trolls*. Des imbéciles qui écrivent des stupidités dans les forums pour provoquer.

Je la sentais attentive à mes propos. Je voyais que je l'atteignais.

- Tu ne dois pas te laisser démolir. Sinon, ce sont eux qui vont gagner.

- J'ai vomi tellement j'étais angoissée cette nuit.

- Chouchoute... Je te comprends. Il ne faut pas que ces crétins s'en sortent si facilement. On va les dénoncer. Dès que j'arrive à l'école, je vais chez le directeur et je lui dis ce qui s'est passé.

- On ne sait pas qui c'est.

- C'est vrai, on n'a pas de preuve. Mais j'ai des indices.

Je lui ai alors parlé de mustang5L.

- Il est dans l'équipe de Jimmy. Et il a des affiches de Mustang dans son casier. Il est zozo, vraiment.

- Je sais aussi que c'est lui.

C'est à ce moment qu'elle m'a raconté ce qui s'était passé l'année dernière entre Isabelle (la fille qu'on a vue au cinéma il y a quelques semaines), Alex et elle.

Kim a eu une « aventure » avec Isabelle, qui était dans sa classe en secondaire 1. Disons qu'elles sortaient ensemble, mais elles ne l'ont dit à personne parce que, eh bien, ce sont deux filles. Elles étaient toujours ensemble et j'imagine qu'il s'est passé des trucs quand elles étaient seules. Elles disaient qu'elles étaient des *best*, mais c'était vraiment plus que ça. Ça a duré un mois. Et puis Isabelle est tombée amoureuse d'Alex. Et elle a laissé Kim. Et Kim est persuadée qu'Isabelle a raconté ce qui s'était passé à Alex.

- Ce que je craignais depuis longtemps est arrivé. Tout le monde va maintenant savoir que je préfère les filles aux garçons.

- Et alors ? j'ai dit. On est genre 3000 dans la polyvalente ? Il paraît qu'à peu près 10 % de gens ont des tendances homosexuelles dans la société. Ça signifie qu'il y a 300 personnes dans l'école qui ont des pulsions et n'osent sûrement pas l'avouer. Tu connais quelqu'un qui se dit ouvertement gai ?

- Non.

- Eh bien, c'est le temps de t'assumer. Il y en a peut-être une dizaine qui vont penser te niaiser avec ça. Mais la majorité des élèves ont une ouverture d'esprit. Et ils vont empêcher les autres d'être homophobes. Je pense que ce serait super gagnant.

Kim n'était pas sûre. C'était évidemment plus facile à dire qu'à faire pour moi !

- On est au 21ᵉ siècle. Il faut que les gens apprennent que deux femmes ou deux hommes peuvent s'aimer, qu'ils en ont le droit et que c'est normal. Il faut briser les tabous. On n'est plus dans les années 1940 ou 1950.

Kim a pris des Kleenex et s'est mouchée.

- Je vais être morte de honte si je vais à l'école.

- Non ! Sinon on va leur donner raison. Il faut foncer ! Il faut que tu sois forte ! Pense à ceux et à celles qui nous aident. Ils croient en toi. Je crois en toi. Et selon les commentaires que j'ai lus hier, il y a aussi beaucoup d'élèves dans mon cas.

Puis elle a essuyé ses yeux avant de regarder le réveille-matin.

- On a raté l'autobus.

- Pas grave! Grand-Papi est à la maison, il va nous reconduire.

Je suis allée réveiller Grand-Papi et on est arrivées tout juste avant le début des classes. C'est ce que j'aime de mon grand-père : il ne pose pas de questions. Il voyait bien qu'il se passait quelque chose. Il n'a pas dit un mot. Bon, il était encore en robe de chambre quand il nous a laissées devant l'école et je ne suis pas sûre qu'il était bien réveillé. Pas grave. Il se mêle de ce qui le regarde. Mais il est là quand j'ai besoin de lui. Je l'adore. (¡)

En entrant dans l'école, on s'est rendu compte que nos affiches n'étaient plus là.

- Bizarre, j'ai dit.

- Effectivement, a été la réponse de la mort de Kim.

Faut dire que je la sentais nerveuse. Je pense qu'il lui a fallu un courage de guerrière de l'Apocalypse pour mettre les pieds dans l'école. Je suis vraiment fière d'elle.

J'avais prévu aller rencontrer Monsieur M. immédiatement pour lui parler de ce qui s'était passé, mais il y avait un élève avec lui dans son bureau, m'a dit sa secrétaire. Je suis allée en classe.

C'était en enseignement avec madame Julie. Il faut préparer un exposé sur un sujet de notre choix. Nous (Kim, deux autres filles et moi), on a choisi le réchauffement climatique. C'était ça ou « la chasse aux phoques » (beurk !) ou le sujet le plus poche de l'univers, « la révolution de la fourrure synthétique ». Personne ne l'a pris celui-là, je me demande pourquoi.

Ahhh ! La cloche sonne dans deux minutes. Je dois y aller. J'ai hâte que Kim me raconte ce qui s'est passé !

Publié le 20 septembre à 16 h 59 par Nam
Humeur : Sereine

> Gros après-midi aussi!

C'est fou. Hier soir je croyais que tous les êtres humains sur terre étaient pleins de verrues, puaient de la bouche et avaient du venin qui leur coulait dans les veines. Ce soir, eh bien, je danserais avec l'humanité toute nue autour d'un grand feu de camp (moi, je garderais mes vêtements, quand même!).

Où j'en étais... Oui. Le cours de morale. Je suis allée parler à Alex la raquette. J'ai mené ma petite enquête. J'ai été d'une grande subtilité. Alors qu'il déconnait avec trois camarades en se lançant des morceaux de gommes à effacer dans la bouche, je me suis approché de lui telle la lionne qui s'apprête à sauter sur une gazelle. Quand il a vu que j'étais tout près de lui, son visage s'est décomposé. Genre, ses yeux, son nez et sa bouche se sont retrouvés sous son menton. Je lui ai montré mes dents pointues et je lui ai fait signe d'approcher.

- T'es allé sur le blogue de Kim hier, non?

- Non, de quoi tu parles?

- Arrête de mentir, je le sais.

- T'as pas rapport.

- Oh oui, j'ai rapport. Tu sais quoi? Je gère le blogue. Et ton nom, c'est exactement les affiches que t'as dans ton casier. T'es tellement pas subtil.

Ses amis en arrière de lui riaient. Pas lui.

- C'est plein de gens qui tripent sur les Mustang cinq litres. Va voir sur le Net, y'a plein de forums.

- Peut-être sur Internet, mais pas dans l'école.

- Tu ne peux pas le savoir.

OK, il voulait jouer au rigolo avec moi. Fallait que je cesse de l'agacer avec mes pétards à mèche et que je lui lance ma bombe à neutrons.

- Et j'ai les adresses I.P. de toutes les personnes qui ont laissé un message. Et j'ai la tienne. Et c'est la police qui s'en occupe.

ÉNORME mensonge. J'ai bluffé. Mais j'étais sûre de mon coup. 😎

- Ben non. Ça ne se peut pas.

Je l'ai imité avec sa voix de nono :

- Ben oui, ça se peut. Y'a pas d'anonymat sur le Net, tu ne savais pas ?

J'ai soutenu son regard. Et là, il a craqué. Son menton s'est mis à trembler, comme s'il allait pleurer. J'aurais probablement dû avoir pitié. Mais comme un prédateur qui devient fou à la vue du sang de sa proie blessée (où j'ai pris ça ?!), j'ai bondi dessus :

- T'es cuit, Alex. C'est du racisme, ce que t'as écrit. Et en plus, c'est de l'homophobie.

Avec hésitation :

- C'était pour niaiser.

- Non, ce n'était pas pour niaiser. C'était sérieux.

- C'est Jimmy qui m'a demandé d'aller sur le blogue et d'écrire ce genre de trucs.

Oh! Révélation! 😶 J'ai essayé d'en savoir plus.

- Ah oui? Et il t'a demandé autre chose?

- Peut-être.

- Quoi?

La prof nous a interrompus. Elle nous a dit de retourner à nos bureaux. Je voulais lui soutirer encore plus d'informations!

Entre-temps, Kim a su ce qu'il était advenu de nos affiches. Julie, une fille de notre classe, le lui a dit. Quelqu'un les a vandalisées. À côté de la photo de Kim, quelqu'un a écrit « LESBO ». Argh! Kim n'a pas eu de trop grosse réaction. Elle a fait comme si c'était ridicule, mais dans le fond, elle est blessée. Encore.

Paraît que c'est Killer, le concierge, qui les a décrochées et apportées dans le bureau du directeur. Il est gentil, tout de même. Il aurait pu les laisser là et attendre que quelqu'un d'autre s'en occupe.

J'ai chuchoté à Kim que j'avais la certitude que c'était Alex qui avait écrit des méchancetés sur son blogue. Et j'ai ajouté, avec le plus de délicatesse possible, que c'était Jimmy qui les avait commandées.

- Ouain, de toute façon, il est tellement stupide qu'il est capable de les écrire tout seul.

Vrai. Mais il reste qu'avec cette information, on a eu la confirmation que Jimmy ne respectait pas les règles du jeu. Jamais de la vie je n'aurais eu l'idée d'aller vandaliser ses affiches. Bon, il n'a pas d'affiches, mais s'il en avait eu, je veux dire.

- Alors on fait quoi ? Kim m'a demandé. On va voir le directeur et on lui dit ce qu'on sait ?

- C'est sûr ! Tu crois qu'on va passer ça sous silence ?

Je sentais que Kim n'aimait pas l'idée. J'ai poursuivi :

- Il faut faire passer un message clair. C'est dégueulasse ce qu'on essaie de te faire subir.

- Ouais, peut-être.

- Tu ne crois pas ? Alex, il aurait pu venir s'excuser. Il est passé à côté de toi, il y a à peine deux minutes. Pas du tout. Il est désolé de s'être fait prendre, pas de t'avoir traitée comme il l'a fait.

- Ouais, t'as raison.

Bien entendu que j'avais raison. J'avais même *full* raison.

- Je vais chez le directeur. Je veux discuter avec lui.

Dans le bureau de la secrétaire de Monsieur M., ni la secrétaire ni Monsieur M. n'était là. Mais il y avait Killer qui réparait un classeur. Et sur le classeur, nos affiches. Je me suis approchée pour constater l'étendue des dégâts. Horrible ! Dans le front de Kim, on avait inscrit en lettres rouges, au feutre, « LESBO ». 😮 Ça m'a tout de même donné un choc, même si je savais ce que le zigoto avait écrit. Je ne sais pas trop comment expliquer cela, mais son écriture était « violente ».

Killer s'est relevé. Il est tellement grand! Chaque fois, ça m'impressionne.

- On l'a attrapé, il a dit.

- Ah oui?

- Je ne peux pas en dire plus. Mais on sait qui c'est.

- Il s'est fait prendre sur le fait?

- Non. Mieux.

Il a sorti de la poche arrière de sa salopette une feuille de papier pliée en quatre. Il l'a dépliée et me l'a donnée.

C'était une image. Avec des chiffres au bas. La date d'aujourd'hui, en fait. Et une heure : 7 heures 49 minutes 37 secondes. Qu'est-ce que la photo représente? Vu de haut, un gars avec un marqueur rouge dans les mains qui écrit sur une de nos affiches. Et ce gars, eh bien, c'était Alex.

- Oh là là! j'ai dit.

Il a repris la feuille, l'a repliée et l'a remise dans sa poche.

- Ça vient d'une caméra de surveillance? j'ai demandé.

Il a fait oui de la tête.

- Je croyais qu'elles n'étaient pas encore fonctionnelles.

- Elles ne le sont pas. Mais on effectue des tests. Et ce matin, il y en avait un.

J'ai commencé sérieusement à avoir pitié d'Alex. Il s'est fait prendre d'aplomb. On voit clairement que c'est lui sur la photo. Pas de doute possible.

- Et il va se passer quoi avec l'élève ?

Killer a soulevé ses épaules de géant.

- Aucune idée. J'ai remis le tout au directeur.

Je me sentais mal d'avoir fait passer un mauvais quart d'heure à Alex parce que j'avais la nette impression qu'il allait en passer un autre avec Monsieur M.

Je ne m'étais pas trompée : il a été suspendu. Pour au moins une semaine. C'est Kim qui me l'a annoncé après sa rencontre avec le directeur à l'heure du dîner. Et la personne qui a fait les graffitis haineux sur le casier de Nathalie a été aussi coincée. C'est, roulement de tambour... : Bastien. Celui qui représente Jimmy chez les secondaires 3 et qui a essayé de faire croire à Nathalie que Kim était suspecte.

Bref : deux cas de vandalisme honteux, deux gars liés de près à Jimmy.

Ouf! Il est 18 h 30 et je n'ai pas encore soupé! Ça paraît que Pop et Mom ne sont pas là. C'est Fred qui a fait le souper, bien hâte de voir ce qu'il a concocté...

Publié le 20 septembre à 20 h 48 par Nam
Humeur : Nauséeuse

> **Un mot : épouvantable**

Pop et Mom travaillant tard ce soir, Grand-Papi n'étant pas là, le souper était donc l'affaire de Fred ou de moi. Tintin, lui, dit que c'est interdit dans sa religion. Personne n'a protesté, parce que personne ne veut vraiment savoir ce qu'est sa « religion ».

Fred m'a suppliée de préparer le souper, même si c'était à son tour. Plus que son tour, en fait, parce que ça faisait genre cinq fois de suite que je le faisais. J'ai mis mon pied à terre et j'ai dit non. Il m'a rétorqué : « Tu vas le regretter. » En blague. Je croyais.

À 18 h 30, le souper n'était pas encore prêt. Alors qu'on mange la plupart du temps une heure avant. Je suis descendue dans la cuisine. Mon frère n'était pas là. Il était dans sa chambre, il dormait ! Du bout des doigts, j'ai pris une de ses culottes sales qui traînait par terre et je la lui ai lancée au visage.

- Hey, Fred !

Il s'est réveillé en sursaut. Il est tombé de son lit et il s'est cogné la tête sur sa table de chevet. Et j'ignore comment c'est possible, mais sa culotte est restée collée sur son front !

Il l'a arrachée (ça a presque fait un bruit de succion) et m'a demandé :

170

- Qu'est-ce qui se passe ?

- Le souper ?! Je crève de faim !

- Pas le goût.

- Quoi ?! Tu vas faire le souper immédiatement !

Il m'a obéi ! Habituellement, il se fâche (ce que je fais aussi quand il me donne un ordre). Mais peut-être parce qu'il venait de se réveiller, peut-être parce que j'ai été super autoritaire, il est parti vers la cuisine. Je suis retournée dans ma chambre faire des devoirs. Il a crié quelques instants plus tard :

- Je ne sais pas quoi faire !

J'ai répliqué :

- Trouve !

Vingt minutes plus tard, Tintin, Fred et moi étions assis à la table. Devant un plat de « soupe ». « Soupe », c'est le nom que Fred a donné à la mixture qui sentait la pelouse et qui avait des allures d'extraterrestre mort qu'on n'a pas mixé assez longuement au mélangeur.

Personne ne bougeait. Moi, en tout cas, j'étais genre terrorisée.

- C'est quoi ? j'ai demandé.

- De la soupe. Je te l'ai dit.

- Si ça c'est de la soupe, je suis dans un cauchemar. Je dois sortir d'ici le plus vite possible. Si ça se passe comme d'habitude, y'a ma prof de première année qui va surgir de nulle part avec des tentacules à la place des bras.

- Arrêtez de niaiser. Servez-vous !

Personne n'a bougé. Je me suis levée pour aller chercher des craquelins.

- Je fais le souper et personne n'y goûte, a dit Fred, vexé. Ça m'apprendra !

Il en a versé dans son bol. C'était plein de grumeaux qui ne ressemblaient à rien de connu dans notre dimension. Il a rempli sa cuillère et l'a mise dans sa bouche (il a hésité un millième de seconde !). Puis a mastiqué.

- Chè chuper bon, il a dit la bouche pleine, probablement parce que son corps refusait d'ingurgiter la substance dans sa bouche.

Je n'ai jamais été autant indécise devant une soupe. J'ai pris une bouchée, finalement, Tintin aussi.

J'ai recraché immédiatement la « soupe » dans le bol. Évidemment, parce que Tintin n'est pas capable de réagir comme un être humain normal, tout le contenu lui est sorti par les narines alors qu'il expirait violemment, et j'en ai reçu plein la figure.

- Dégueu !!!

Je me suis levée et j'ai couru à la salle de bains. J'en avais partout. Sur le visage, dans les cheveux et sur le chandail. Et j'ai rincé ma bouche avec de l'alcool à friction.

Quand j'ai fait sentir la soupe à Youki mon p'tit chien d'aaammmoooouuurrr, il a couiné comme si on le torturait.

Fred était insulté, mais ce n'était véritablement pas comestible. Il nous a énuméré les ingrédients, pour prouver qu'elle était nutritive. Je n'ai retenu que « raisins secs » (!?) et « gras végétal » (!!??).

Finalement, j'ai mangé des craquelins pour souper. Et quelques réglisses rouges que j'ai trouvées dans la réserve de Grand-Papi pour « les cas d'urgence ». C'était un cas d'urgence, non ? J'allais mourir de faim !

Alors, quoi de neuf ? Kim a fait travailler ses contacts et voici ce que j'ai appris :

✳ Bastien et Alex ont été suspendus de l'école. Cinq jours chacun.

✳ Bastien et Alex ont tous les deux blâmé Jimmy. Jimmy a été reçu chez le directeur à la fin des classes. Une suspension, peut-être ? 😄

✳ Nathalie revient à l'école demain. Elle n'est plus dans la course, mais elle a décidé de nous aider !

✳ Monsieur M. a annulé le débat censé avoir lieu demain. Celui de jeudi pendant l'heure du dîner est maintenu, cependant.

✳ Demain, on va devoir faire de nouvelles affiches.

Je suis fatiguée. Je vais me coucher tôt ce soir. Et mon ventre gargouille. Maman, j'ai faim !

Publié le **21** septembre à **16** h **47** par Nam
Humeur : Suspicieuse

> Il est toujours là

Jimmy n'a pas été suspendu. Quand Kim et moi sommes arrivées à l'école ce matin, il était sur le terrain en train de serrer des mains. Aucun artifice, pas de bouteilles d'eau ou de cheval à l'intestin nerveux, juste lui. Quand il nous a vues, il s'est dirigé vers nous. Il avait perdu toute son arrogance. Il a été *full* gentil. Ou hypocrite. Il s'est excusé auprès de Kim. Moi aussi. Il nous a assurées qu'il n'avait aucun rapport avec ce que Bastien et Alex avaient fait. Que c'était des « initiatives personnelles » de leur part. Il s'est fait laver les oreilles par Monsieur M. avec de l'eau de Javel, c'est clair. Mais il portait encore ses foutus verres de contact aux couleurs impossibles. Mauves, cette fois! Quelqu'un va croire que c'est naturel?!

Il nous a même dit qu'il allait nous aider à refaire nos affiches. Non, merci! Il est passé de gros méchant à super gentil. Suspect!

J'ai hâte que toute cette histoire d'élections se termine. C'est trop pour un petit cœur comme le mien. Je me demande moins si on va gagner que s'il va se passer quelque chose susceptible de me troubler au plus profond de mon être. Comme Jimmy qui vient nous serrer la main. 😶

174

Kim m'a demandé de trouver une idée afin de « faire sortir le vote », comme disent les politiciens. Je ne savais pas ce que ça voulait dire. Il s'agit d'inciter les gens à aller voter. Même si plein d'élèves disent qu'ils vont voter pour nous, il faut qu'ils le fassent vraiment. Sinon, ça ne compte pas. Alors vendredi, en tant que directrice de campagne, je dois trouver une idée supra débile géniale pour « faire sortir le vote ». Et « ça ne doit rien coûter ». En plus, est-ce qu'il faut que j'invite des girafes albinos à faire un numéro de haute voltige ?!

Je vais y penser.

Ce soir, je vais chez Kim. On va travailler sur le débat de demain. Je dois faire mes devoirs.

> **Tout le monde m'abandonne**

Est-ce que je dois être frue ? Kim m'a remplacée par Nath pour répéter le débat. Le pire est qu'elle m'a dit qu'elle préférait se reposer. J'ai vu Nathalie entrer chez elle, après le souper.

Hum...

Je suis supposée faire quoi ce soir ? Michaël n'est pas là, il a ses cours de guitare. Tous mes devoirs sont faits, je n'ai pas d'examen en vue avant la semaine prochaine. Ça me fait penser, demain, c'est la première réunion de l'équipe d'impro, la bien nommée les « Dé-gars ». Personne n'en parle. Il y a bien une feuille sur le babillard principal qui indique l'heure et la date de la première réunion, mais c'est tout. Ah oui, pour attirer les gens, j'imagine, il est écrit en gros : « 63 défaites de suite, faut que ça cesse ! » Wow ! Ça me donne le goût. J'ai croisé Marguerite à la biblio et elle m'a dit que si je ne venais pas, elle allait me jeter un sort. Je ne prendrai pas de risque, je la crois sur parole !

C'est juste que je ne veux pas me retrouver dans une équipe fière de ses défaites. Je déteste perdre. Ça me rend *full* de mauvaise humeur. Qui a dit ça, encore ? « L'important est de participer, pas de gagner. » Ah oui, l'inventeur des Jeux olympiques modernes, Pierre de Coubertin. Eh bien, je ne suis pas trop d'accord. Par

177

exemple, quand il y a un match hors saison, mon cerveau marche pas mal moins vite que si une victoire allait donner des points. Je suis comme ça. Mais bon, je ne suis pas agressive sur le terrain de jeu comme certains qui font de l'obstruction. Ceux-là, dès qu'ils voient que tu hésites, ils te plantent devant tout le monde. Ça m'est arrivé deux fois et c'est pénible. J'ai bien hâte de voir demain qui seront mes coéquipiers. Dire qu'à mon autre école, il y avait des auditions. Je crois qu'ici, c'est une des punitions infligées par Monsieur M. de faire partie de l'équipe d'impro.

(...)

Je suis allée faire un tour sur le blogue de Kim. Tout de même 257 visites aujourd'hui. Moins de commentaires, une dizaine. Tous positifs, sauf un qui raconte qu'une fille de l'école est en fait un homme. Franchement! J'ai éliminé ce message. Bon, j'ai quand même tapé le nom de la fille dans Google, voir s'il y avait une photo d'elle sur le Net. 😃 J'en ai trouvé une. Si elle est un homme, moi, je suis Bouddha.

Il y avait aussi un commentaire qui demandait si c'était vrai que Kim était « lesbo ». La personne a même laissé son adresse courriel. Je lui ai réécrit pour lui dire que son commentaire était stupide. Avec mon VRAI nom. Je n'ai pas honte de mes opinions, MOI.

Dès que la campagne est terminée, je détruis/pulvérise/anéantis ce blogue. Trop de problèmes. Je préfère le mien. Bon, personne ne le lit, et c'est tant mieux.

Ça m'intrigue vraiment de savoir ce qui se passe dans la maison d'à côté. Je suis trop curieuse. Je vais renifler un peu.

(...)

Je suis la plus nulle des nulles espionnes de l'univers entier! Je voulais voir ce que Kim tramait avec Nath. Je suis sortie et à quatre pattes, je me suis dirigée vers sa maison, comme dans les films. J'ai même pensé apporter mes lunettes d'approche. Aucune idée pourquoi.

En tournant le coin pour me rendre à la fenêtre de sa chambre, j'ai buté sur un « objet ». Et cet « objet », c'était son père qui arrosait les plantes.

- Namasté?

- Oui, euh, bonjour.

- Est-ce que ça va?

Je suis restée à quatre pattes devant lui, question de ne pas avoir l'air trop suspecte.

- Oui, euh, j'ai perdu un verre de contact. Alors je le cherche.

- Vraiment? Ici?

- Ouais, je me dis qu'avec le vent...

NAWAK. 🙁 Vraiment. C'était une excuse pitoyable. J'aurais mieux fait de dire que je chassais le ver de terre.

Le père de Kim s'est aussi mis à quatre pattes. Et il m'a aidée.

- Non, j'ai dit, ce n'est pas nécessaire. Ils sont jetables.

- Mais non, quatre yeux valent mieux que deux.

Et il a commencé à chercher. Et la mère de Kim est arrivée. Et elle nous a aidés aussi. Et parce que le soleil se couchait, le père de Kim est allé chercher dans son garage une lampe giga puissante dont on peut voir les rayons lumineux de la planète Jupiter. Et une loupe. Il a scruté chaque brin de gazon. La situation était tellement ridicule : trois personnes qui cherchent une chose qui n'a pas été perdue, une avec une loupe et une autre avec des lunettes d'approche (fallait bien que je les utilise !).

Et ce qui devait arriver arriva : la mère de Kim est allée chercher sa fille pour nous aider. Nooon ! Et avec ma *best*, Nath a suivi. Je suis passée à un millième de millimètre de subir l'humiliation de ma vie : Kim sait que je ne porte pas de verres de contact. Elle aurait pu commencer à rire comme une malade et me montrer du doigt. Et il aurait fallu que, soit je m'obstine avec elle devant ses parents, soit j'avoue que j'aime me promener à quatre pattes sur la pelouse de mes voisins un jour de semaine. Mais non. Kim étant une personne formidable, elle a fait comme si c'était plausible. Vraiment *cool* parce que je commençais à me liquéfier. Le dessous de mes bras est encore mouillé. J'ai sué comme si j'avais été dans un bain sauna.

J'ai enduré cinq minutes, puis je me suis exclamée, avec un air piteux :

- On va les oublier.

Kim, Nath et la maman de Kim ont laissé tomber. Pas le père de Kim : il cherche encore ! Je l'ai supplié d'arrêter, mais il m'a dit :

- Ma détermination est ma plus grande qualité. Tu demanderas à ton père.

Il est comme trop dedans. *Schnoute.*

(...)

Je viens de clavarder avec Kim.

Kim (débat demain et vous votez pour moi, c'est un ORDRE !) : C'est quoi cette histoire de verres de contact ?!

Pas question de lui mentir, elle m'a sauvé la vie.

N@m (C'EST KIM QU'IL NOUS FAUT) : Je suis désolée. C'est vraiment stupide. Je suis super gênée. Ton père est encore à quatre pattes.

Kim (débat demain et vous votez pour moi, c'est un ORDRE !) : Ouais, je sais, maman lui a dit de rentrer mais il est genre obsédé par tes prétendus verres de contact. Qu'est-ce qui s'est passé ?

N@m (C'EST KIM QU'IL NOUS FAUT) : Je suis full gênée.

Kim (débat demain et vous votez pour moi, c'est un ORDRE !) : Arrête de niaiser.

J'ai hésité. Puis, j'ai tapé :

N@m (C'EST KIM QU'IL NOUS FAUT) : Je voulais voir ce que tu faisais avec Nath.

Elle n'a pas répondu. Ce qui était assez inquiétant. J'ai eu peur qu'elle me bloque et ne veuille plus me parler de sa vie. Et qu'elle brûle ma maison. Et chante autour en buvant mon sang. (Hein?!)

N@m (C'EST KIM QU'IL NOUS FAUT) : Kim? Réponds, j'ai peur.

Enfin, j'ai vu qu'elle me réécrivait.

Kim (débat demain et vous votez pour moi, c'est un ORDRE!) : MDR. Je me roule par terre. JE VAIS MOURIR DE RIRE. 😄

Ouf!

N@m (C'EST KIM QU'IL NOUS FAUT) : Je suis TELLEMENT soulagée! Mais super mal à l'aise pour ton père. Il cherche encore avec sa loupe!

Kim (débat demain et vous votez pour moi, c'est un ORDRE!) : Laisse-le faire. Il est comme ça mon papounet. Je vais me coucher, je suis morte. Demain le débat!!!

Avec tout ça, il est présentement 23 h. Pour une fille qui n'avait rien à faire ce soir, je me suis arrangée pour être super occupée.

C'est bizarre, Michäel m'a dit qu'il allait se brancher après son cours, mais je ne l'ai pas vu.

Dodo. GROSSE journée demain.

Publié le 21 septembre à 6 h 57 par Nam
Humeur : Stupéfaite

> **Ça réveille**

Wow ! Il y a cinq minutes, on a sonné à la porte. C'était le père de Kim. Il a donné à Pop (qui a répondu à la porte) un verre de contact. Et s'est excusé de ne pas avoir trouvé l'autre.

Est-ce que je lui ai dit que j'en avais « perdu » deux ?! Je ne m'en souviens pas.

Wow ! Intense.

> Que se passe-t-il?

J'ai eu une méga journée. J'ai genre un million quatre cent soixante-sept mille trucs dont je veux parler. Mais je n'ai qu'une pensée en tête : Michaël me fuit. Je ne sais pas pourquoi. Et je commence à paranoïer. Est-ce que j'ai fait quelque chose qui lui a déplu? Genre est-ce que je suis trop collante? Est-ce que j'ai dit ou fait un truc qu'il ne fallait pas? Est-ce que je capote pour rien? Kim prétend que oui. Mais c'est parce que c'est ma *best* et qu'elle ne veut pas me faire de peine.

Chaque soir depuis deux semaines, on *tchatte* minimum une heure. Hier, il ne s'est pas branché. OK, ça peut arriver, même s'il m'a dit qu'il allait le faire. C'était son cours de guitare, j'ai pensé qu'il était peut-être trop fatigué ou qu'il avait mal aux doigts (il saigne des fois, il a toujours des bandages sur le bout des doigts). Ça ne m'a pas empêchée de dormir. Il vient toujours me souhaiter une bonne journée à mon casier avant le premier cours. Sauf ce matin, pas de Michaël. OK, il était peut-être absent. Erreur : je l'ai aperçu pendant le débat entre Kim et Jimmy.

Je capote. Vraiment. Il faut qu'il y ait une raison logique.

Je dois me changer les idées. Je récapitule la journée.

185

✳ Après le choc matinal créé par le père de Kim, dans l'autobus, ma *best* m'a demandé si j'avais trouvé une idée super méga géniale pour faire « sortir le vote » demain. J'ai répondu : « Ouais, ça s'en vient. » Je n'ai AUCUNE IDÉE quoi faire. Et je me répète, mais ça ne doit rien coûter et ce doit être légal et ne pas offenser les bonnes mœurs. J'ai pensé faire la morte sur le terrain de l'école avec un écriteau accroché au cou : « Votez pour Kim, sinon il y aura d'autres innocentes victimes. » Trop intense. JE DOIS TROUVER UNE IDÉE ! �

✳ Je suis allée dans ma boîte de réception de courriels avant de partir pour l'école. La fille qui a traité Kim de « lesbo » sur son blogue s'est excusée. Elle a dit qu'elle était aussi lesbienne et se demandait si Kim avait l'intention de créer un regroupement dans l'école, comme on en voit dans les cégeps. Je me suis excusée à mon tour d'avoir été bête et je lui ai répondu que je ne savais pas si Kim était lesbienne.

✳ Gaston le chauffeur m'a souri quand je suis entrée dans son autobus. Mauvais présage. La journée allait être dure. Peut-être la fin du monde.

✳ Kim était archinerveuse. Genre ses mains tremblaient et elle avait mal au cœur. Je lui ai répété cent fois que tout irait bien. Parce que je suis curieuse comme une marmotte, et même si ce n'est absolument pas de mes affaires, je lui ai posé des questions sur la soirée d'hier avec Nath. Elle m'a dit que Nath était une fille pas mal *cool*. Mais encore ? « Et elle est belle » elle a ajouté. Ah. OK. Je comprends. 😊

✳ Finalement, l'heure du débat est arrivée. Il était temps parce que Kim se plaignait aux cinq secondes qu'elle allait vomir/crier/mourir/devenir folle/paralyser.

Je croyais qu'il allait y avoir une dizaine de personnes max. Parce qu'un seul écriteau indiquait où l'événement aurait lieu. Et qu'il faisait beau. Or, un débat entre deux élèves, me semble que ce n'est pas vraiment une manière excitante de passer l'heure du dîner. J'étais sûre de mon coup. Pour la calmer, je n'arrêtais pas de lui dire : « Arrête de capoter, il n'y aura personne. » Je me trompais tellement ! L'auditorium était plein. Il y avait même des gens debout. Quand j'ai vu la foule, je me suis moi-même énervée. Le pire est qu'ils avaient hâte que ça commence. Ils frappaient des mains et des pieds. Je voyais beaucoup de pancartes, quelques-unes pour Kim d'autres pour Jimmy. Plus pour Kim, en fait. 😊

Avec Nath et Kim, on a fait un dernier remue-méninges. Kim devait absolument parler de ses préoccupations. Et avant qu'elle n'entre en scène, je lui ai mentionné qu'une fille de l'école m'avait écrit et m'avait demandé si elle était « vraiment » lesbienne.

- Tu lui as dit quoi ?

- Je lui ai répondu que je ne savais pas.

Monsieur M. a pris le micro et a demandé aux élèves de se taire. Kim a fermé les yeux et elle a inspiré profondément. Et le débat a commencé.

Conclusion : Jimmy s'est fait planter par Kim. D'aplomb. Elle l'a fait passer (gentiment, quand même) pour un gars uniquement attiré par la gloire. Plus souvent qu'autrement, il ne savait pas de quoi Kim parlait. Il a bégayé et il a tenté de faire des blagues stupides. Je ne sais pas si c'est à cause du vandalisme sur nos affiches et sur le blogue de Kim, mais il est apparu complètement inoffensif. Au point où je me trouve vraiment nounoune d'avoir eu peur de lui. Il a clairement sous-estimé Kim et ça vient de lui éclater au visage.

À la fin du débat, chaque candidat a eu trois minutes pour convaincre qu'il était le meilleur choix. Un tirage au sort a déterminé que Jimmy allait commencer. Son allocution a duré environ vingt secondes : « Votez pour moi, vous ne le regretterez pas. » Puis il y a eu un silence super gênant, tout le monde attendait la suite, mais il n'y en a pas eu. Ce fut alors au tour de Kim.

On avait préparé Kim, Nath et moi un discours final. Un truc assez bien. Mais Kim l'a laissé tomber. Et je sais que c'est nunuche à dire, mais elle a décidé de parler avec son cœur. Elle a déplié la feuille de papier sur laquelle on avait imprimé son texte. Elle l'a posée devant elle et elle a dit quelque chose comme :

« J'ai préparé un texte, mais j'ai peur de vous ennuyer en le lisant. Alors je vais dire ce que je pense des incidents qui se sont produits et après, vous déciderez. J'ai vécu une dure semaine, croyez-moi. On a essayé de me faire abandonner la course par des moyens dégoûtants. Et si je suis ici aujourd'hui, c'est grâce à des gens qui m'ont soutenue. Je pense à Namasté et à Nathalie. Merci, je vous aime.

« Je me présente. Je suis Kim. Je suis élève de l'école que vous fréquentez. Je suis en secondaire deux. Je suis Chinoise. Pas une « Chinetoque ». Je suis peut-être lesbienne, je n'en suis pas sûre. En tout cas, pas une « lesbo »! Des fois je suis heureuse, des fois je suis mal-heureuse. L'amour me fait mal, mais l'amour me fait du bien aussi. Il y a des matières que j'aime, d'autres que j'aime moins. Des profs, aussi. Mes parents me font suer parfois, parfois ils me font plaisir. Même si personne n'est identique à moi dans la salle, je vous ressemble énormément. Et j'ai la prétention de penser que je peux faire une différence. Voilà pourquoi je me suis présentée comme candidate.

« Demain, vous aurez à faire un choix. Ce sera Jimmy ou moi. Même si je vous dis de mettre un cro-chet à côté de mon nom, je ne peux pas vous forcer. Mais croyez-moi, si j'ai été capable de traverser la dure semaine qui vient de passer, je pourrai relever le défi de la présidence du Comité étudiant.

« Il y a des gens qui m'ont attaquée en sachant que leurs mots me feraient mal. Et ils ont eu raison. Je n'ai pas décidé d'être Chinoise. Les yeux que j'ai, je ne peux pas les changer. Mais dans le fond, je suis profondément comme vous parce que je suis arrivée au pays quand j'avais un an.

« C'est comme mon orientation sexuelle. Je ne peux rien y changer. Je voudrais bien être sûre, ce serait pas mal plus simple d'aimer les gars. Mais je préfère les filles. Si c'est choquant pour certains, je vous assure

que ça l'a été pour moi quand j'ai découvert mon penchant pour les filles. Mais que puis-je faire ? Je dois m'accepter comme je suis. Dans la salle, il y a des gars qui aiment des filles. Des filles qui aiment des gars. Des gars qui aiment des gars et, comme moi, des filles qui aiment les filles. C'est la vie. Et quand vous y pensez, je suis comme vous et vous êtes comme moi. On apprend tous à aimer. Et c'est tough *pour tout le monde.*

(Il y a eu des applaudissements. Puis, de plus en plus. Et elle a eu une ovation, debout !)

« *Alors demain, pensez à votre Chinoise lesbienne préférée. Dites-vous qu'elle est comme vous. Mais qu'elle pense bien humblement qu'elle peut faire la différence. Je m'appelle Kim O'Connor. À demain, j'espère !* »

Un tonnerre d'applaudissements. J'ai pleuré, Nath aussi. Quand elle est sortie, on s'est toutes trois jetées dans les bras l'une de l'autre. Monsieur M. a félicité Kim. Jimmy aussi. Et il y avait des gens qui attendaient ma *best* pour lui dire qu'ils allaient voter pour elle. J'étais vraiment fière de Kim. Le texte, c'est de mémoire que je l'ai réécrit. C'était cent fois mieux.

✳ Le reste de la journée, j'ai été sur un nuage, mais il y avait toujours l'image de Michaël qui me revenait en tête. Il a assisté au débat, mais il n'est pas venu me voir. Il n'a pas félicité Kim non plus, probablement parce qu'il savait que j'allais être là. Est-ce que j'ai écrit que je CA-PO-TAIS ?

✳ Kim a été la vedette de l'après-midi. Des gens de tous les niveaux sont venus la voir. À un point tel que j'ai eu l'impression qu'on allait gagner super facilement. Genre Jimmy allait recueillir un seul vote, le sien. Même le directeur de sa campagne, le tipi, allait voter pour Kim. D'accord, je sais que ce n'est qu'une illusion et qu'il ne faut pas que je m'emballe.

✳ À la fin des classes, avant ma réunion pour l'équipe d'impro, j'avais une demi-heure de libre. Je suis allée faire le ménage du local que la direction nous a prêté pour la campagne. Il y avait Nath, Kim et moi. Un moment donné, on cogne à la porte. C'est Jimmy. On a figé. Qu'est-ce qu'il nous voulait ?!

- Je peux te parler ? il a demandé à Kim. En privé, il a ajouté en nous regardant.

- Je n'ai rien à cacher à mes amies, a dit Kim.

Il a insisté. Kim nous a regardées et a cédé. Elle l'a suivi dans le corridor pendant genre deux minutes. Quand elle est revenue, elle avait un large sourire.

- Qu'est-ce qui se passe ? a demandé Nath.

- Rien, elle a répondu tout en nettoyant une table.

- Arrête, j'ai dit. Il t'a raconté quoi ?

- Rien, elle a fait de nouveau.

- Il n'y a pas rien, Kim ! Arrête de jouer avec nos nerfs !

Tout en frottant le dessus de la table, elle a déclaré :

- Il m'a demandé si je voulais abandonner. Avant qu'il ne soit trop tard.

Nath et moi, on s'est exclamées en même temps :

- Non!

- Oui.

- Et tu lui as dit quoi?

- Je lui ai dit que c'était plutôt moi qui devais lui poser la question.

On a bien rigolé.

Jimmy n'est tellement pas gêné! Il a ajouté qu'il laissait à Kim quelques heures « pour y penser ». Et que le débat n'avait rien changé, selon son « sondage scientifique », il va l'emporter haut la main.

- Je fais ça pour toi. Je ne voudrais pas être à ta place. Tes amis de secondaire 1 et 2 sont peut-être impressionnés par toi, mais les 3, 4, 5 sont clairement de mon bord.

C'est fou à quel point il se prend pour un autre! Tellement... C'est quoi les mots? Ah oui! « Imbu de lui-même. » Il est comme tellement sûr de lui que c'en est désagréable.

Michaël vient de se brancher!!!

(...)

OK. C'est officiel, je suis folle de lui et on va m'interner ce soir. Je lui ai envoyé sept messages en deux secondes et il s'est débranché après. Ou il m'a bloquée. Je vérifie avec Kim.

(...)

Il m'a BLOQUÉE!!! Il est encore en ligne sur le Messager de Kim, mais pas sur le mien! Ça ne se passera pas comme ça, je l'appelle.

(...)

Bon. Je viens de lui parler. Il dit qu'il a besoin de réfléchir à notre « relation ». Je ne savais même pas qu'on en avait une! Je lui ai demandé si j'avais mal agi, il m'a dit que non, que c'est lui qui est « mélangé ». Mélangé? Pourquoi? On est juste amis. « Ce n'est pas si simple », il m'a dit. Qu'est-ce qui n'est pas simple? J'ai du plaisir avec lui, il a du plaisir avec moi. C'est tout. Je ne lui ai même pas encore fait une déclaration d'amour!

- C'est compliqué, Nam. J'ai besoin d'être loin de toi un peu.

Wow! Je ne me sens **tellement pas** rejetée! 😣

Publié le 22 septembre à 1 h 02 par Nam
Humeur : Abattue

> J'ai mal

Ça fait, genre, trois heures que je pleure sans arrêt. J'essaie de me raisonner, mais ça ne fonctionne pas. Michaël n'est même pas mon *chum* et je réagis comme si on était mariés depuis cinq ans. Et il ne m'a pas dit qu'il ne voulait plus me voir. Juste qu'il avait besoin de prendre ses distances. Et je suis SPM, en plus. Pas mal plus sensible que d'hab. Y'a ma tête qui me dit que ce n'est pas grave, mais y'a mon cœur qui hurle sa peine. Pourquoi veut-il s'éloigner de moi?! Il ne m'a donné aucune raison. 🙁 Juste qu'il en avait « besoin ». Ce n'est pas la bonne réponse! Je dois en savoir plus! Dire que j'allais lui demander de se joindre à l'équipe d'impro!

Parlant des « Dé-Gars », la réunion s'est bien passée. Marguerite est vraiment géniale. Nous sommes tous des nouveaux joueurs. À part moi, il y a Mathilde, une grande mince de secondaire 4 qui affirme qu'elle veut faire de l'impro pour vaincre sa timidité. Elle parle peu et son visage est toujours impassible. Et quand elle se retrouve sur la patinoire, elle rougit. Au moins, elle a du courage.

Il y a Mathieu, un gars de secondaire 5 qui portait un t-shirt d'un homme barbu sur une moto en train de manger un tibia. Ah oui, il y avait un truc jaune-vert qui lui sortait des oreilles pour une raison qui m'échappe. Marguerite lui a dit que même si son t-shirt est « offensant », il est malgré tout « intéressant ». Mathieu a ajouté sur lorsqu'on gratte l'image, ça sent le vomi. Je n'ai pas essayé, mais Marguerite, oui. Elle a déclaré que ça sentait plus « la vaseline que le vomi ». Merci de l'info. Mathieu a dit qu'avec l'impro, il voulait « mettre sa colère dans une canette, la brasser et l'ouvrir et la faire gicler dans la face des gens ».

Et c'est tout. On est trois. Marguerite est un peu découragée. Va falloir la semaine prochaine qu'on fasse du recrutement. Genre installer une table dans la cafétéria et prendre la chance de kidnapper des élèves qui ont l'air d'avoir du potentiel en impro.

Au sujet des dizaines de millions de défaites consécutives, elle est persuadée que la série noire va se terminer cette année. Elle dit ça depuis trois ans, mais cette fois, elle est *full* confiante.

Est-ce que ça se fait appeler quelqu'un à 1 h 30 du matin ? Je voudrais que Michaël clarifie la situation avec moi. Ça ne se fait pas, je sais.

En plus, tantôt, je dois trouver un moyen pour faire sortir le vote. De toute façon, si ça continue comme ça, je vais être toute sèche et ratatinée parce que je n'aurai plus un seul millilitre d'eau dans le corps.

Je dois dormir.

Publié le **22** septembre à **12** h **22** par Nam

Humeur : Fatiguée

> Une idée de génie

Je sais que ce n'est pas super comme idée, mais je viens d'avaler une boisson énergétique. Pas le choix si je ne veux pas m'effondrer de fatigue ! Je ne sais pas à quelle heure je me suis endormie. Ce que je sais, cependant, c'est que j'ai dormi dans un lit d'eau. Genre que je n'ai jamais autant pleuré de ma vie. Sauf la fois où j'ai appris la mort de Zac dans un accident d'auto, évidemment.

Alors, ce matin, je me suis levée en retard, bien entendu. J'ai eu exactement douze secondes pour trouver une idée afin d'inciter les gens à voter. Et ça a donné que j'ai enfilé mon habit de mascotte qui avait échoué dans le fond de ma garde-robe. Oui, je suis allée ainsi à l'école. ☺ Mais je n'ai pas pris l'autobus, tout de même. Il y a des limites à aimer être humiliée. Surtout avec la carotte géante. J'ai demandé à Grand-Papi de venir me reconduire. Encore une fois, il était en robe de chambre. Encore une fois, il avait l'air perdu et il n'a posé aucune question. Je pense même qu'à l'heure qu'il est, il croit qu'il a rêvé.

Je ne me suis même pas dit que c'était une bonne ou une mauvaise idée, la mascotte. Après la nuit que je venais de passer, c'était un miracle que j'aie une « idée »; lui trouver un adjectif était comme trop exigeant (wow, je pense que c'est la première fois de ma vie que j'utilise le point-virgule !). Mon plan était d'arriver sur le terrain de l'école en envoyant la main. Mais il fallait quand même plus que ça. Alors, j'ai découpé la boîte de céréales et au verso, j'ai écrit « Votez Kim ». Mais dans l'auto, genre à un kilomètre de l'école, une autre idée m'a traversé l'esprit. J'ai écrit sur la pancarte « Câlin gratuit ». C'était complètement débile. Mais il était trop tard.

Quand je me suis retrouvée sur le terrain de l'école, à côté de la porte d'entrée et envoyant à la main à tous les étudiants, j'ai eu l'impression de fondre de honte. On a ri de moi, on m'a montrée du doigt, on m'a fuie. Et bien franchement, j'aurais fait la même chose à la place des élèves ! Pendant quelques minutes de totale panique, je me suis dit que mon idée « géniale » allait anéantir complètement les chances de Kim de devenir présidente du Comité étudiant. Ce serait ma faute, ma très grande faute.

Et puis, un peu plus tard, j'ai vu Tintin. Il s'est approché de moi pour que je lui fasse un câlin. Et il a forcé mon frère à m'en faire un. Ensuite une fille que je ne connais pas m'en a aussi fait un. Et une autre fille. Et un gars. Et à un moment donné, il y avait une file d'élèves qui attendaient pour avoir un câlin ! Quand la cloche a sonné, il y avait encore des gens. Je n'ai pas vu Michaël, cependant.

Je suis arrivée en retard à mon cours, mais bon, pas grave. J'avais la tête toute mouillée et le prof ne m'a pas demandé ce qui s'était passé. Kim m'a dit que c'était la meilleure idée de tous les temps, après l'invention du feu.

D'ailleurs, j'ai tenté de faire entrer mon costume dans mon casier. C'était CLAIR que ça n'allait pas entrer. Genre essayer de faire passer un œuf dans le trou d'une aiguille. J'avais l'air d'une belle nouille. Je pense que j'ai retourné cinquante fois le casque et il est rond ! Finalement, Killer, qui a eu pitié de moi, m'a prêté son local.

Alors voilà. Depuis midi, les élèves votent. Et on aura les résultats ce soir, après l'école.

J'ai croisé Michaël. J'ai fait comme si de rien n'était, comme s'il n'avait pas mastiqué mon cœur comme une vulgaire gomme à mâcher. Il était pressé, il m'a dit qu'il allait me parler après l'école. Et il ne m'a pas regardée dans les yeux.

Deux choses qui vont rendre mon après-midi super long. Michaël et le résultat du vote. Je suis hyper nerveuse, mais je ne sais lequel me fera le plus d'effet.

Ça va être loooooooonnngggg.

Interminable

Publié le **22** septembre à **16** h **01** par Nam
Humeur : Tendue, quoi d'autre ?!

> Encore quelques minutes...

L'après-midi a été tellement pénible. Je n'arrêtais pas de regarder l'horloge. Les secondes paraissaient des minutes. Et à un moment donné, j'ai même halluciné, croyant que l'aiguille des secondes reculait au lieu d'avancer!

Je viens de discuter avec Michaël. Je ne comprends plus trop ce qui se passe. Il a besoin de ne plus me voir parce que, genre, je le trouble.

- Est-ce que j'ai fait quelque chose?

- Non, non. Rien. C'est moi. Je suis mélangé.

- Qu'est-ce qui te mélange?

- Je... Je ne peux pas t'en parler.

- Pourquoi?

- Écoute, laisse-moi quelques jours, d'accord?

- Quelques jours pour quoi?

- Pour penser.

- OK...

- Merci. Désolé, Nam. Vraiment.

C'est tout. Il est parti en courant, il devait attraper son autobus.

Je ne sais pas. Je ne sais plus. Pourquoi les êtres humains tombent-ils amoureux ? Je vais faire plus simple : pourquoi JE tombe amoureuse ? Pourquoi ?! Ça fait souffrir et c'est méga ultra *full* compliqué. C'est quoi le but ?!

Ahhhhhhhhhhh ! 👀

(...)

Kim utilise l'ordi à côté de moi. Nath lui fait un massage d'épaules. Ma *best* n'arrête pas de bouger sur sa chaise et elle a rongé tous ses ongles. Si elle avait été moins bien élevée, elle n'aurait plus d'ongles aux orteils.

C'est long dépouiller tous les votes ! Si j'ai bien compris, il y a deux bénévoles de chaque niveau qui comptent les votes de leur « bureau de scrutin ». On n'est pas dix mille dans l'école ! Ça devrait être une affaire de dix minutes. Le vote a cessé il y a plus d'une heure.

(...)

Jimmy vient d'entrer dans la biblio. Il nous a serré la main. Elle était chaude et à peine humide. Pas nerveux pour un sou. Il nous a félicitées pour la « belle campagne ». Et l'idée de la mascotte. « Je n'y aurais jamais pensé. »

Nath déteste Jimmy. Elle est persuadée qu'il est derrière ces histoires de graffitis sur son casier et le vandalisme sur nos pancartes. Les deux « coupables » l'ont montré du doigt. Il est évidemment trop intelligent pour se salir les mains. Je pense comme Nath. C'est un manipulateur hypocrite aux yeux de mutant.

Oh, le directeur vient d'entrer !

ON VA CONNAÎTRE LES RÉSULTATS
DANS QUELQUES INSTANTS!

À suivre dans le tome 5 :

Le blogue de Namasté
La décision

Du même auteur

Le blogue de Namasté - tome 1
La naissance de la Réglisse rouge
Éditions Marée Haute, 2008

Le blogue de Namasté - tome 2
Comme deux poissons dans l'eau
Éditions Marée Haute, 2008

Le blogue de Namasté - tome 3
Le mystère du t-shirt
Éditions Marée Haute, 2009

Pakkal XI
La colère de Boox
Éditions La Semaine, 2009

Pakkal X
Le mariage de la princesse Laya
Éditions Marée Haute, 2008

Pakkal
Le deuxième codex de Pakkal
Éditions Marée Haute, 2008

Pakkal IX
Il faut sauver L'arbre cosmique
Éditions Marée Haute, 2008

Circus Galacticus
Al3xi4 et la planète de cuivre
Éditions Marée Haute, 2007

Pakkal VIII
Le soleil bleu
Les Éditions des Intouchables, 2007

Pakkal VII
Le secret de Tuzumab
Les Éditions des Intouchables, 2007

Pakkal VI
Les guerriers célestes
Les Éditions des Intouchables, 2006

Pakkal V
La revanche de Xibalbà
Les Éditions des Intouchables, 2006

Pakkal IV
Le village des ombres
Les Éditions des Intouchables, 2006

Pakkal
Le codex de Pakkal, hors série
Les Éditions des Intouchables, 2006

Pakkal III
La cité assiégée
Les Éditions des Intouchables, 2005

Pakkal II
À la recherche de l'Arbre cosmique
Les Éditions des Intouchables, 2005

Pakkal I
Les larmes de Zipacnà
Les Éditions des Intouchables, 2005

Phobies-Zéro Jeunesse

Maxime Roussy est porte-parole de **PHOBIES-ZÉRO volet jeunesse**. Il s'est donné comme mission, entre autres, de démystifier les troubles d'anxiété chez les jeunes en leur racontant avec humour ses expériences liées à son trouble panique avec agoraphobie.

Tu n'es pas seul. Plusieurs personnes se sentent comme toi. La bonne nouvelle, c'est que nous pouvons t'aider!

Pour savoir par où commencer, visite le
www.phobies-zero.qc.ca/voletjeunesse

ou communique avec nous au :
(514) 276-3105 / 1 866 922-0002

Notre distributeur :

Messagerie de presse Benjamin
101, rue Henri-Bessemer, Bois-des-Filion (Québec) J6Z 4S9
Tél. : 450 621-8167

ACHEVÉ D'IMPRIMER AU CANADA